C000218603

Contents

Writers

Audio drama: Andrew Colley

Thema 5: Hanns Grimm and Brigitte Pfender are Senior Lecturers in German at Thames Valley University

Thema 6: Christine Pleines is Lecturer in German at The Open University

Catherine Watts is Senior Lecturer at the Language Centre, University of Brighton

Language and German Studies Consultant

Ragnhild Gladwell, Goethe Institut, London

GOETHE INSTITUT

Open University

Book Co-ordinator, Christine Pleines

Academic Editor, Monica Shelley

Programme Chair, Lore Arthur

Acknowledgements

The course team would like to thank the following: Stephen Hagen, Course Chair 1994–1995, who was responsible for the initiation and early development of *Auftakt*, and Eva Kolinsky, Professor of Modern German Studies, Keele University for her support in the development of the course. Our thanks also to Margaret Winck of Tübingen and Christoph Sorger of Leipzig for help and support in the preparation of the audio-visual material and for all the information and contacts which they provided. Thanks, too, to all the people of Tübingen and Leipzig who took part in the filming and recording in this course.

A catalogue record for this title is available from the British Library

ISBN 0 340 67335 4

First published 1997

Impression number   10 9 8 7 6 5 4 3 2 1

Year   2002 2001 2000 1998 1997

Typeset and designed by David La Grange.

Printed in Great Britain for Hodder & Stoughton Educational, a division of Hodder Headline Plc, 338 Euston Road, London NW1 3BH and for The Open University by Hobbs The Printers, Totton, Hampshire.

Some of the material transcribed here contains examples of non-standard German, because people are speaking freely and unrehearsed. Occasionally, alternatives and corrected versions have been provided.

In the dialogues in the audio transcripts, italics have been used to indicate prompts, bold indicates correct replies and arrows indicate where you should speak in the dialogues.

In the video transcripts, italics indicate commentary.

Auftakt, *ein Deutschkurs von der Open University*

Kassette Nummer 3, Seite 1

Hörspiel

Und jetzt das Hörspiel: „Begegnung in Leipzig".

Folge 5

Thomas Kai, setz dich hin! Es ist nicht mehr so weit.

Kai Wie weit denn noch?

Thomas Ein paar Minuten. Wir sind bald da.

Kai Wir – müssen wir mit 'ner anderen Straßenbahn fahren?

Thomas Ich hab's dir doch schon gesagt. Wir fahren mit der Straßenbahn Nummer 28 bis ans Connewitz-Kreuz, wo die Bettina wohnt. Und dann steigen wir alle drei in eine andere Straßenbahn bis zur Schenkendorfstraße, wo der Orhan wohnt.

Kai Kommt Bettina auch mit?

Thomas Ja, aber das habe ich dir doch schon gesagt. Wir gehen alle drei – du, ich und Bettina!

Kai Spitze! Ist die Bettina deine Freundin?

Thomas Ja. Ich meine, nein – ich kenne sie schon seit Jahren. Wir waren zusammen auf der Universität.

Thomas Kai, komm! Hier steigen wir aus. Komm, Kai, wir müssen uns beeilen.

(vor Sonjas und Bettinas Wohung)

Bettina Hallo Thomas! Ah, und du mußt der Kai sein!

Thomas Kai – sag hallo!

Kai Hallo!

Thomas Er ist ein bißchen schüchtern!

Bettina Ach, das macht nichts. Kommt 'rein!

Thomas Bist du schon fertig?

Bettina Ja, ja.

Thomas Ah, dann besser nicht. Wir sind eh schon spät dran. Kai hat Hunger, und ich will nicht, daß es heute spät wird, denn er hat morgen Schule.

Bettina Okay, dann laß uns gehen.

Bettina Also, du hast Hunger, Kai?

Kai Papi hat mir gesagt, daß es bei Orhan türkisches Essen gibt.

Bettina Wirklich? Das habe ich ja noch nie gegessen, aber ich bin Vegetarierin, ich esse überhaupt kein Fleisch.

Thomas Ah, das macht nichts, da gibt es viele andere gute Dinge zu essen.

(bei Orhan)

Orhan Ich gehe schon! Hallo, Thomas und Kai! Hallo! Nett, euch zu sehen!

Kai Ich habe Hunger!

Orhan Geh und hol dir was zu essen!

Thomas Orhan, das ist die Bettina.

Orhan Wir kennen uns schon, damals im Café Corso.

Bettina 'Tag. Oh, hast du das Essen alles allein gemacht, Orhan?

Orhan Ja, fast alles. Komm, nimm dir einen Teller, und greif zu!

Thomas Orhan kocht sehr, sehr gut!

Bettina Ach, das sind aber schöne Teller!

Orhan Ja, das Geschirr kommt aus der Türkei. Es ist was Besonderes. Ich benutze es nur für Partys.

Bettina Ich werde damit vorsichtig umgehen! Hm, ich weiß nicht, was ich zuerst nehmen soll. Ich bin Vegetarierin.

Orhan Paß auf, dann zeig' ich es dir. Das sind hier Weinblätter, mit Reis gefüllt, und hier ist Schafskäse, und hier Kebab. Ach, entschuldige, Kebab sind aus Fleisch.

Bettina Ach, macht nichts.

Orhan Warum bist du dann Vegetarierin?

Bettina Warum ich Vegetarierin bin? Hm, ich weiß nicht. Ich nehme an, weil ich glaube, daß es gesünder ist und nicht so teuer.

Kai Papi, ich hab' Durst!

Thomas Okay. Orhan, was gibt's zu trinken?

Orhan Ich habe Apfeltee.

Kai Was ist denn das?

Thomas Der wird dir nicht schmecken, Kai. Hast du keine Cola, Orhan?

Orhan Aber sicher. Moment mal.

Bettina Schmeckt's denn, Kai?

Kai Oh ja. Ist toll. Ich mag das da drüben, und das, und das.

Orhan Hier Kai, nimm.

Kai Danke.

Orhan Also Bettina, schmeckt's dir?

Bettina Ja. Den Geschmack kenn' ich überhaupt nicht.

Orhan Thomas, hast du die Sonja gesehen?

Thomas Sonja …

Orhan Ja, Sonja Meier. Ich habe ihr auch eine Einladung geschickt, aber sie ist noch nicht hier.

Thomas Äh … ich weiß nicht – sie, äh …

Bettina Sonja kommt nicht, Orhan. Sie hatte schon etwas für dieses Wochenende vor. Es tut ihr leid.

Orhan Schade. Aber du kennst sie auch?

Bettina Ja, aber sicher! Ich wohne bei ihr. Wir kennen uns schon seit der Schulzeit. Ich suche zwar eine Wohnung, aber im Moment ist es praktisch so.

Orhan Ach so! Aber Thomas, du kennst auch die Sonja, nicht wahr?

Thomas Ja, aber – ich meine, ich hab' sie schon lange nicht gesehen. Ich habe mit ihr am Telefon gesprochen, äh …

Kai Morgen ist mein Geburtstag, Bettina!

Bettina Morgen schon! Das wußte ich ja gar nicht! Also herzlichen Glückwunsch. Machst du denn etwas Besonderes?

Kai Papi kocht mir mein Lieblingsessen!

Bettina Oh, schön. Und was ist dein Lieblingsessen?

Kai Hamburger mit Pommes frites.

Bettina Prima! Kocht dein Vater so gut wie Orhan?

Kai Oh ja. Sehr gut!

Bettina Und kommen auch viele Freunde zu Besuch, Kai?

Kai Ich weiß nicht genau.

Thomas Die meisten Freunde wohnen in Tübingen, wo seine Mutter wohnt. Vorige Woche war da ein Kinderfest.

Kai Bettina, kommst du morgen zu uns?

Bettina Ich?

Thomas Laß Kai, Bettina hat bestimmt keine Zeit.

Bettina Nein, ich hab' nichts vor.

Kai Toll!

Thomas Kai, sie hat bestimmt was Besseres zu tun. Korrigieren oder so.

Bettina Nein. Auf einmal ist alles fertig.

Kai Kannst du wirklich kommen?

Bettina Ja, wenn dein Vater …

Thomas Aber sicher. Ach Kai … Ach, du liebe Zeit, die Sonja!

Orhan Sonja! Ich dachte, du kommst nicht!

Bettina Na, so was!

Kai Oh, sie sieht so komisch aus!

Sonja Thomas … und Bettina. Wie nett, euch zusammen zu sehen!

Bettina Sonja, du hast einen Schwips!

Sonja Ich? Nein, warum? Thomas, erinnerst du dich an mich?

Thomas Ja, aber sicher, was – äh …

Sonja Das war eine schöne Zeit, nicht wahr? Wir sind in die Moritzbastei gegangen, wir sind in die Kunstgalerien gegangen. Wir waren so glücklich! Und dann bist du zu deiner Frau zurückgekehrt!

Thomas Nein, Sonja, ich verstehe dich aber nicht. So war es doch überhaupt nicht gemeint. Meine Frau und ich, wir hatten uns getrennt, und wir mußten noch viele Dinge miteinander klären.

Sonja Und jetzt mit Bettina! Wie nett!

Thomas Komm, Kai, wir gehen in die Küche!

Kai Ist die Sonja auch deine Freundin, Papi?

Thomas Komm, Kai.

Bettina Sonja, iß etwas, dann geht's dir besser!

Sonja Ja, du hast recht, Bettina. Ich sollte etwas essen. Oh, die schönen Teller!

Bettina Oh, paß auf, Sonja. Nicht diese kostbaren Teller. Du hast zu viel getrunken!

Sonja Ich! Nein …

Bettina Sonja! Paß auf!

Bettina Komm! Ich glaube, wir sollten gehen. Ich werde dich nach Hause bringen.

Sprechübungen

And now it's your turn. At Orhan's party Bettina came across some food that she'd never tried before. Here's your chance to practise saying you've never eaten or drunk something before. First listen to the two phrases and repeat them:

Tintenfisch habe ich ja noch nie gegessen.

➔

Whisky habe ich ja noch nie getrunken.

➔

Now use the same two phrases to say you've never eaten or drunk the types of food or drink given in the cues:

türkisches Essen

➔

Türkisches Essen habe ich ja noch nie gegessen.

Pfefferminztee

➔

7

Pfefferminztee habe ich ja noch nie getrunken.

Schafskäse

→

Schafskäse habe ich ja noch nie gegessen.

Lammfleisch

→

Lammfleisch habe ich ja noch nie gegessen.

Alkohol

→

Alkohol habe ich ja noch nie getrunken.

Bockbier

→

Bockbier habe ich ja noch nie getrunken.

Mango

→

Mango habe ich ja noch nie gegessen.

Kirschwasser

→

Kirschwasser habe ich ja noch nie getrunken.

Bettina is a vegetarian and doesn't eat meat. Here's how you say you don't eat or drink something at all. Listen to the two phrases and repeat them:

Ich esse überhaupt kein Fleisch.

→

Ich trinke überhaupt keinen Alkohol.

→

Now use the same two phrases to say you don't eat or drink the types of food or drink given in the cues. Remember you will need to use keinen, keine, *or* kein *according to whether the item of*

food or drink is masculine, feminine or plural, or neuter.

Zucker

→

Ich esse überhaupt keinen Zucker.

Wein

→

Ich trinke überhaupt keinen Wein.

Bratwurst

→

Ich esse überhaupt keine Bratwurst.

Tee oder Kaffee

→

Ich trinke überhaupt keinen Tee oder Kaffee.

Schokolade

→

Ich esse überhaupt keine Schokolade.

Bier

→

Ich trinke überhaupt kein Bier.

Fisch

→

Ich esse überhaupt keinen Fisch.

Hörbericht 5

Und jetzt Hörbericht Nummer 5: „Bierbrauerei".

Prost, Prost, Prösterchen, in Bier sind Kalorien
Prost, Prost, Prösterchen, in Schnaps ist Medizin, ja, ja, ja
Prost, Prost, Prösterchen, im Wein ist Sonnenschein
Prost, Prost, Prösterchen, hinein, hinein, hinein!

Das war ein deutsches Trinklied. Prost! oder Prösterchen! sagt man zum Anstoßen beim Trinken. Ein anderer Trinkspruch erwähnt Hopfen und Malz:

Herr Winck Hopfen und Malz Gott erhalt's.

Hopfen und Malz werden benutzt, um Bier zu brauen. Hefe und Wasser kommen auch dazu.

Es gibt sehr viele Brauereien in Deutschland. Dort werden viele verschiedene Biersorten gebraut, zum Beispiel Pilsner Bier, Bockbier, oder Weißbier. Pilsner Bier ist ein helles Bier, Bockbier dagegen ist ein dunkles Bier. Weißbier wird aus Weizen statt Gerste gebraut. Bier kommt in Flaschen oder frisch vom Faß. Einige Deutsche sagen nun, was für Bier sie am liebsten trinken.

Herr Baumann Ein ganz normales Bier vom Faß.

Dorothee Ja, wenn ich mal welches trinke, trink' ich Schwarzbier, aber das kommt nicht sehr häufig vor.

Herr Sorger Äh, ja, Pils, also Bier vom Typ Pilsner ... aber ich trink' natürlich auch sehr gern Guinness, und ich trink' auch gerne Bockbier, das ist ein schwarzes Bier aus Gerste und Malz gebraut, und es hat mehr Alkohol als das normale helle Bier.

Lustig ihr Brüder, laßt Grillen und Sorgen sein,
Setzt euch hier nieder bei Bier und bei Wein.
Jubeln und Singen
Tanzen und Springen
Wer will's uns wehren
So lang wir jung sind
Tra la la ...

Schon seit Jahrhunderten wird in Deutschland Bier gebraut. Das deutsche Reinheitsgebot von 1516 ist das älteste Lebensmittelgesetz der Welt. Dieses Gebot besagt, daß das Bier

ohne Additive produziert werden muß. Es dürfen nur Hefe, reines Wasser, Hopfen und Malz verwendet werden:

Herr Bauer ... ganz klares Trinkwasser, Hopfen und Malz, welches aus Gerste hergestellt ist, aus Braugerste, und dazu kommt dann noch Hefe ...

Potztausend schlapperment,
Wie schmeckt mir's Bier so gut
Vivat soll leben, der einschenken tut ...

Das Reinheitsgebot hat deutschem Bier einen sehr guten Ruf gegeben. Kleine Familienbrauereien haben seit 1516 das Reinheitsgebot an ihre Nachkommen weitergegeben. Eine solche Familienbrauerei ist die Brauerei Bauer in Leipzig.

Herr Bauer ist dort Braumeister, wie schon sein Vater und sein Großvater vor ihm. Hier erzählt er ein bißchen von der Geschichte der Brauerei:

Herr Bauer Wir haben eine sehr bewegte Geschichte hinter uns. Das Bauer Bier gibt es eben schon seit über 110 Jahren. Der Betrieb, äh, existiert, äh, als die Brauerei Bauer, äh, schon seit 1881, also mehr als 110 Jahre in Familienbesitz in Leipzig.

Bis 1972 war die Brauerei im Privatbesitz. Dann hat der Staat solche Betriebe von heute auf morgen enteignet, das heißt übernommen. Innerhalb von einer Woche hat Herr Bauer die Brauerei verloren:

Herr Bauer ... das ging ganz ruckzuck und ganz schnell. Die damalige Regierung hatte beschlossen, daß es keine privaten Betriebe mehr geben darf, und innerhalb von einer Woche wurden wir unter politischem Zwang enteignet.

Diese Zeit war ziemlich hart für Herrn Bauer. Der Staat hatte die Brauerei übernommen, ohne ihn dafür zu entschädigen. Die besten Maschinen wurden alle in den Westen exportiert. Wie hat er damals darauf reagiert?

Herr Bauer ... das war eine sehr deprimierende Situation, aber es war ein kollektives Leid, es waren also Hunderte und Tausende von Betrieben, die hier im Land enteignet wurden. Es war ein kollektives Leid, also sehr viele andere Betriebe haben das auch erlebt.

Für Herrn Bauer war das besonders frustrierend. Der Name seiner Brauerei, also Brauerei Bauer, wurde sofort verboten. Familiennamen waren für staatliche Betriebe nicht mehr erlaubt. Von nun an wurde das Bier unter dem Namen Turmbräu verkauft.

Die Brauerei Bauer wurde 1972 innerhalb von einer Woche enteignet. Nach der Wende hat es aber 3 Jahre gedauert, bis die Brauerei wieder im Familienbesitz war. Heute wird das Bier wieder unter dem Namen Bauer Bier verkauft. Die Bauerbrauerei ist ein mittelständischer[1] Betrieb, das heißt er ist mittelgroß.

Herr Bauer Wir sind heute die einzige mittelständische Brauerei, die es hier in Leipzig gibt. Wir haben jetzt täglich eine Produktion so von 30 000 Flaschen.

Heutzutage braut man in der Brauerei Bauer viele verschiedene Biersorten: Pilsner Bier, helles Bier, schwarzes Bier und Bockbier. Und an die Autofahrer wird auch gedacht.

Herr Bauer ... wir brauen aber auch noch ein ausgezeichnetes alkoholfreies Bier für die Kraftfahrer – alkoholfrei ...

Seit der Wende investiert die Brauerei Bauer viel Geld in elektronische Maschinen. Man muß konkurrenzfähig bleiben, besonders gegenüber den Brauereien aus dem Westen Deutschlands.

Herr Bauer ... zum Beispiel werden unsere Flaschen alle elektronisch kontrolliert ...

Die Sauberkeit von 14 000 Bierflaschen pro Stunde wird mit einer elektronischen Kamera kontrolliert. Die Braumethoden dagegen sind die alten.

Herr Bauer Wir sind in Leipzig die einzige Brauerei, die noch traditionell braut, wogegen in den großen Brauereien wird großtechnisch gearbeitet.

Diese traditionellen Methoden geben dem Bier seinen sehr guten Geschmack. In Leipzig heißt es: Der Kenner trinkt auf die Dauer Bauer. Bauer Bier ist dort sehr beliebt.

Dorothee Da mag ich eigentlich sehr gerne die ostdeutschen Biersorten, ich finde sie sind leckerer als die westdeutschen ...

Jens Werner Also, am allerliebsten trink' ich unser sächsisches Bier. Alles, was hier produziert wird ist für mich das Bier, was am besten schmeckt. Herb, würzig, frisch ... naja, so wie Bier schmecken muß ...

Lustig ihr Brüder, laßt Grillen und Sorgen sein, Setzt euch hier nieder bei Bier und bei Wein ...

---

[1] The commentator pronounces this word incorrectly.

Sprechübungen

And now a few short exercises. In the feature you heard a lot about Bier trinken *and* Brauerei Bauer. *Now practise the German 'r' sound: 'rrr' at the back of your throat. Imagine you're gargling: 'rrr'! Listen and repeat:*

rrrrrrr

→

rot, rot, rot

→

Prost!

→

brauen

→

Brauerei

→

Familienbrauerei

→

ruckzuck

→

deprimierend

→

groß

→

mittelgroß

→

Reinheitsgebot

→

And now a real challenge! Listen and repeat:

Die Brauerei Bauer

→

braut Bauer Bier

→

nach dem Reinheitsgebot.

→

Die Brauerei Bauer braut Bauer Bier nach dem Reinheitsgebot.

→

Der mittelgroße Familienbetrieb Brauerei Bauer braut Bauer Bier nach dem Reinheitsgebot.

→

Now try to learn the words to the drinking song you heard in the feature. You're still practising the German 'r'! Listen and repeat:

Prost, Prost, Prösterchen

→

in Bier sind Kalorien

→

Prost, Prost, Prösterchen, in Bier sind Kalorien

→

Prost Prost Prösterchen

→

in Schnaps ist Medizin, ja, ja, ja

→

Prost, Prost, Prösterchen, in Schnaps ist Medizin, ja, ja, ja

→

Prost, Prost, Prösterchen

→

im Wein ist Sonnenschein

→

Prost, Prost, Prösterchen, hinein, hinein, hinein!

→

Now join in:

Prost, Prost, Prösterchen, in Bier sind Kalorien
Pros,t Prost, Prösterchen, in Schnaps ist Medizin, ja, ja, ja
Prost, Prost, Prösterchen, im Wein ist Sonnenschein
Prost, Pros, Prösterchen, hinein, hinein, hinein!

Ende von Seite I

Auftakt, *ein Deutschkurs von der Open University*

Hörspiel und Hörberichte
Kassette Nummer 3, Seite 2

Hörspiel
....

Es folgt das Hörspiel: „Begegnung in Leipzig".

Folge 6

(in Bettinas Zimmer)

Sonja Bettina?

Bettina Sonja! Wie geht's?

Sonja Oh, schlimm.

Bettina Sonja, du siehst schrecklich aus. Blaß und elend.

Sonja Um wieviel Uhr sind wir nach Hause gekommen? War das spät?

Bettina Nein. Neun Uhr ungefähr. Ich hab' dich ins Bett gebracht. Du warst total besoffen.

Sonja Ja, ja. Oh, mir ist schlecht, oh, ich habe Kopfschmerzen, ich fühle mich furchtbar.

Bettina Du hast einen Kater. Das ist alles. Trink viel Wasser und vielleicht eine Tasse Kaffee.

Sonja Mein Bauch! Bettina …

Bettina Ach, du konntest noch nie so viel Alkohol vertragen.

Sonja Das ist wahr. Ich hätte nicht kommen sollen. Es … es tut mir leid, Bettina.

Bettina Ach, vergiß es.

Sonja War's sehr peinlich?

Bettina Ja. Das weißt du schon. Du hast einen von den schönen Tellern zerbrochen.

Sonja War Orhan sehr böse?

Bettina Das sollte mich nicht wundern.

Sonja Du, es tut mir leid, ehrlich.

Bettina Hm.

Bettina Sonja … damals … ich meine … vor vier Jahren, was ist da genau passiert?

Sonja Was meinst du?

Bettina Ich meine, zwischen dir und Thomas?

Sonja Oh, nichts. Wir sind ein paar Mal ausgegangen. Das war alles. Wir waren befreundet, nicht mehr.

Bettina Also, warum bist du denn so traurig?

Sonja Ich weiß nicht … ich will … ich wollte … ich mochte ihn … aber … er hat mich wegen seiner Frau angelogen.

Bettina Sonja, Thomas kann doch mit uns beiden befreundet sein, oder?

Sonja Das weiß ich.

Bettina Ich mag Thomas auch. Wir sind befreundet, so wie du und ich. Aber im Moment ist das alles. Ich bin hier neu in Leipzig. Ich möchte Leute kennenlernen.

Sonja Du hast recht, Bettina. Ich muß das alles vergessen.

Bettina Gut. Ach, schon drei Uhr! Ich muß los. Sonja, gibt's hier in der Nähe ein Blumengeschäft?

Sonja Ein Blumengeschäft? Ja, in der Karl Liebknecht Straße. Warum?

Bettina Heute ist Kais Geburtstag. Der Kleine hat mich zum Essen eingeladen. Das war so süß. Ich hab' schon ein Geschenk für ihn, jetzt will ich nur noch eine Pflanze oder so was für Thomas kaufen.

Sonja Schön.

Bettina Du, geht es dir jetzt besser? Kann ich dich alleine lassen?

Sonja Ja, ja, natürlich. Mach dir keine Sorgen um mich!

Bettina Okay, na bis bald.

(zu Hause bei Thomas, Thomas und Kai kochen zusammen)

Thomas Kai, gib mir mal den Kochtopf da!

Kai Wann kommt die Bettina, Papi?

Thomas Ah, ich weiß es nicht genau. So um halb fünf. Ah, paß auf, Kai, das ist heiß!

Kai Darf ich dir helfen, Papi?

Thomas Aber sicher. Hier, leg das Obst in die Schale.

(im Blumengeschäft)

Verkäuferin Guten Tag!

Bettina Guten Tag. Ach, diese Nelken da in der Ecke sind besonders schön!

Verkäuferin Ja, das find' ich auch. Sollen sie ein Geschenk sein?

Bettina Ja, als Geschenk. Ähm, wie heißen denn diese hier?

Verkäuferin Das sind schöne Lilien. Vorsicht! Äh, ich war gerade dabei, die Blumen zu gießen, es ist naß auf dem Fußboden.

(in Thomas' Wohnung)

Thomas Kai! Kai, wo bist du?

Kai Hier bin ich.

Thomas Kai, schmeckt das gut?

Kai Ja, 's schmeckt gut. Was ist denn das?

Thomas Ah, das ist der Salat für die Bettina. Sie ist Vegetarierin.

Kai Vegetari… was heißt das?

Thomas Ah, ich hab' es dir doch schon erklärt, sie ißt kein Fleisch, keine Hamburger.

Kai Keine Hamburger!

Thomas Nein.

Kai Und wann kommt sie denn?

Thomas In 'ner Stunde oder so.

Kai Ich langweile mich.

Thomas Also, komm. Laß uns den Tisch dann decken …

(im Blumengeschäft)

Bettina Ähm, und die da? Äh, wie nennt man die noch mal?

Verkäuferin Das sind Astern. Moment, ich zeige sie Ihnen.

Bettina Nein, nein, ist gut, ich kann schon alleine …

Verkäuferin Passen Sie auf! Dort ist Rutschgefahr! Der Fußboden!

Bettina Oh, du liebe Zeit! Mein Arm! Au!

Verkäuferin Oh nein!

(in Thomas' Wohnung)

Thomas So, jetzt ist alles fertig!

Kai Ist die Bettina bald da, Papi?

Thomas Sie muß jede Minute hier sein. Hast du dir die Hände gewaschen?

Kai Noch nicht.

Thomas Also, schnell, schnell.

(im Krankenhaus)

Bettina Hallo, Sonja?

Sonja Bettina, hallo! Hast du das Blumengeschäft gefunden?

Bettina Ja, aber ich hab' einen kleinen Unfall gehabt.

Sonja Einen Unfall?

Bettina Ja, ist nicht schlimm. Ich bin im Blumengeschäft hingefallen. Ich hab' mir den Arm verletzt. Es ist aber nur eine Verstauchung.

Sonja Wo bist du denn?

Bettina An der Notaufnahme im Krankenhaus. Der Arzt hat mir gesagt, daß ich Glück hatte, mir nichts gebrochen zu haben, und daß ich mich für eine Woche ausruhen muß. Sonja, kannst du mich abholen kommen?

Sonja Aber sicher, ich komme gleich.

(in Thomas' Wohnung)

Kai Papi, wo ist sie denn? Kommt sie nicht?

Thomas Äh, ich weiß nicht. Sie ist ziemlich spät dran.

Kai Papi, ich hab' Hunger, ich will anfangen.

Thomas Okay. Fangen wir an.

Thomas Ah, das wird die Bettina sein.

Thomas Hallo? Hallo? Bettina?

Sonja Hallo Thomas. Hier ist die Sonja.

Thomas Sonja? Hallo! Was ist denn los?

Sonja Bettina hat einen Unfall gehabt.

Thomas Ein Unfall! Ist es schlimm? Was ist denn passiert?

Sonja Ich weiß nicht genau, sie ist im Krankenhaus.

Thomas Im Krankenhaus! Aber …

Sonja Mach dir keine Sorgen, Thomas, sie wird anrufen, wenn es ihr besser geht.

Thomas Ja, aber …

Sonja Ich muß los. Tschüs!

Thomas Sonja, warte!

Kai War das die Bettina, Papi?

Thomas Ja, ich meine, nein … das war ihre Freundin. Die Bettina ist krank … sie kommt heute nicht.

Kai Oh … oh schade …

Thomas Ja, das ist schon schade. Hm … seltsam. Also, Kai, fangen wir an, es gibt um so mehr für uns!

(in Sonjas Wohnung)

Bettina Oh, danke, Sonja, ach, danke für alles.

Sonja Ist nichts, Bettina.

Bettina Ach! Es tut so weh!

Sonja Ruhig! Sei vorsichtig! Du mußt dich ausruhen, hat der Arzt gesagt.

Bettina Wie spät ist es, Sonja?

Sonja Äh, fast sieben Uhr.

Bettina Ach nein. Jetzt kann ich gar nicht zu Kais Geburtstagsfeier gehen. Ach, ich muß Thomas anrufen.

Sonja Keine Angst, Bettina. Ich hab' schon angerufen.

Bettina Du hast Thomas angerufen?

Sonja Ja, nachdem du mich vom Krankenhaus angerufen hast, hab' ich gedacht, es wäre besser, wenn er wüßte.

Bettina Ach ja, ja, sicher. Danke, äh, was hat er denn gesagt?

Sonja Er hat „Gute Besserung" gesagt … ähm … und daß er dich anruft, wenn er aus Tübingen zurückgekommen ist.

Bettina Äh, er geht nach Tübingen? Er hat mir aber nicht gesagt …

Sonja Ja, er bleibt eine Woche bei seiner Ex-Frau. Also, ruh dich aus, Bettina. Ich hol' dir was zu trinken.

Bettina Äh, Sonja?

Sprechübungen

And now it's your turn. In this episode the assistant in the flower shop told Bettina that she'd just been watering the flowers. She said: „Ich war gerade dabei, die Blumen zu gießen." *In this exercise you'll practise saying that you are just in the process of doing something. Listen to the phrase and repeat it in the pause:*
Ich bin gerade dabei, Kaffee zu kochen.

Now use the same phrase with the cues you are given. For example, if you hear the cue „den Tisch decken" *you say:* „Ich bin gerade dabei, den Tisch zu decken."

den Tisch decken

Ich bin gerade dabei, den Tisch zu decken.

ins Bett gehen

➔

Ich bin gerade dabei, ins Bett zu gehen.

den Rasen mähen

➔

Ich bin gerade dabei, den Rasen zu mähen.

Gitarre spielen

➔

Ich bin gerade dabei, Gitarre zu spielen.

Now use the same phrase to answer questions. Listen to each question, and answer it in the pause using the information you are given. You may need to begin some answers with 'nein'.

Was machst du da gerade?

Abendbrot machen

➔

Ich bin gerade dabei, das Abendbrot zu machen.

Kommst du mit ins Kino?

diesen Brief schreiben

➔

Nein. Ich bin gerade dabei, diesen Brief zu schreiben.

Was machst du da gerade?

das Wohnzimmer aufräumen

➔

Ich bin gerade dabei, das Wohnzimmer aufzuräumen.

Wollen wir spazierengehen?

dieses Geschenk einpacken

➔

Nein, ich bin gerade dabei, dieses Geschenk einzupacken.

Here's another useful phrase. The morning after the party Bettina asked Sonja how she was, and Sonja told her not to worry. She said: „Mach dir keine Sorgen um mich!", which means 'Don't worry about me!'. First listen to the phrase, then repeat it:

Mach dir keine Sorgen um mich!

➔

Now use the same phrase to reply to some questions or statements. You'll need to use the pronouns ihn, sie *and* uns, *which mean 'him', 'her' and 'us'. For example, if you hear the question* „Geht es Peter schon besser?", *you reply:* „Ja. Mach dir keine Sorgen um ihn!" – 'Don't worry about him!'

Geht es Peter schon etwas besser?

➔

Ja. Mach dir keine Sorgen um ihn!

Sonja sieht furchbar traurig aus!

➔

Mach dir keine Sorgen um sie!

Kann ich euch beide hier alleinlassen?

➔

Mach dir keine Sorgen um uns!

Hörbericht 6

Und jetzt Hörbericht Nummer 6: „Gesund und munter!".

Für das Wichtigste im Leben, BKK!

Und jetzt ein Werbespot aus dem Radio!

– Wo ist denn jetzt der Herr Kürten?

– Wo steckt er denn? Die Sendung beginnt doch gleich! Mein Gott, wenn man nicht alles alleine macht! Herr Kürten!

– Ah, Herr Kürten, da sind Sie ja!

– In drei Minuten gehen wir auf Sendung! Schnell, schnell, schnell!

Herr Kürten Da haben wir's wieder. Streß ist unvermeidbar. Aber man kann lernen, damit zu leben. Die Betriebskrankenkassen in Nordrhein-Westfalen helfen dabei.

– Herr Kürten, so …

Herr Kürten Und jetzt mache ich entspannt und in aller Ruhe meine Sendung …

Für das Wichtigste im Leben, BKK!

Das war ein Werbespot für die BKK, oder Betriebskrankenkasse in Nordrhein-Westfalen. Die BKK ist eine von den vielen deutschen Krankenkassen für Angestellte. Über eine Krankenkasse bekommt man eine Krankenversicherung.

Herr Dr. Berger ist Landarzt in Pfäffingen, einem kleinen Dorf in der Nähe von Tübingen. Hier erklärt er das deutsche Gesundheitssystem:

Dr. Berger Wir haben hier bei uns in Deutschland, äh, ein hocheffizientes Krankenversichertensystem. Das haben wir seit etwas über 100 Jahren. Etwa 95% aller Patienten sind, äh, in einer gesetzlichen Krankenkasse, das ist also Pflicht, in einer Krankenkasse zu sein.

Also, 95% der Deutschen sind entweder in einer privaten oder staatlichen Krankenkasse. Und wer bezahlt das?

Dr. Berger Es wird zur Hälfte vom Arbeitgeber bezahlt und die andere Hälfte bezahlt der Arbeitnehmer. Es sind zur Zeit etwa 13% des Bruttolohnes.[2]

Was bekommt man dafür? Normalerweise kosten Besuche beim Arzt oder Aufenthalte im Krankenhaus nichts. Man hat auch das Recht, alle drei Jahre eine Kur zu machen. Man bleibt normalerweise für drei oder vier Wochen in einem Kur- oder Badeort, um sich zu erholen, und die Krankenkasse bezahlt. Aber Medikamente kosten etwas:

Dr. Berger Die Patienten müssen seit 1989 für jedes Arzneimittel, was sie aus der Apotheke holen, eine Rezeptgebühr bezahlen: Für große Packungen 7 Mark, für kleinere Arzneimittelpackungen 3 Mark. Das kann für ältere Menschen, äh, die viele Arzneien brauchen, ganz schön teuer werden …

Dr. Berger ist der Meinung, daß viele Deutsche nicht genug für ihre eigene Gesundheit tun:

Dr. Berger Viele sind sehr gleichgültig, ihrer Gesundheit gegenüber. Die meisten Deutschen rauchen zu viel und trinken zu viel und, äh, machen auch zu wenig Sport, fahren zu viel Autos[3] …

Herr Dr. Gundlach ist Apotheker in Pfäffingen. Er hat da ganz andere Ansichten:

---

[2] Information correct as at 1996.

[3] Dr. Berger should have said „… *fahren zu viel Auto* …".

Dr. Gundlach Ich lebe gern, ich esse gern, ich trinke auch mal gern ein Glas Wein oder eine Flasche Bier, aber ich möchte vielleicht net[4] einmal 100 Jahre alt werden, net unbedingt, sondern ich möchte leben und dann mein Leben gelebt haben, und wenn die Uhr abgelaufen ist, dann ist Feierabend …

Herr Winter will auch nicht unbedingt 100 Jahre alt werden:

Herr Winter Viele Leute haben ja Angst um ihre Gesundheit, und sind dann sehr vorsichtig, und, äh, ich muß sagen, ich bin da vielleicht nicht ganz so vorsichtig, denn selbst wenn man sehr gesund lebt, muß man nicht unbedingt 90 Jahre alt werden.

Andere haben zu wenig Zeit, sich fit zu halten:

Frau Storr Ich würde mir schon wünschen, daß ich mehr Zeit hätte, Sport zu machen, aber oft bin ich am Abend sehr müde.

Frau Patzwahl Also ich mache keine Gymnastik, ich jogge auch nicht, sondern das kommt bei mir einfach alles im Zuge des Alltages zu kurz, sprich, ich tue speziell für meine Gesundheit, für meinen Körper nichts, außer daß ich ab und zu zum Bus renne!

Heute haben die Krankenkassen ein besonderes Programm für Vorsorgemaßnahmen, das den Deutschen helfen soll, gesund zu bleiben: Das ist billiger für die Krankenkassen. Herr Grothe, Geschäftsführer einer Krankenkasse in Tübingen sagt:

Herr Grothe Natürlich stehen bei uns die präventiven Maßnahmen sehr sehr groß im Vordergrund. Man muß

umdenken, äh, nicht nur noch Krankenversicherung sondern eben auch die Gesundheitsförderung steht im Vordergrund, um Kosten zu ersparen.

Was bietet das Gesundheitsförderungsprogramm an?

Herr Grothe Im Angebot als beispielhafte Erwähnung: Individuelle Ernährungs- und Diätberatung, schlank und fit, autogenes Training, Entspannungstechniken.

Autogenes Training ist eine Art Entspannungstechnik für Leute, die unter viel Streß leiden. Es hilft ihnen, sich zu entspannen:

Herr Grothe Teilnehmer lernen, in der Gruppe systematisch ihren Körper zu entspannen und zu einer tiefen inneren Ruhe zu gelangen.

Auch Joga-Kurse helfen gegen Streß:

Kursteilnehmerin Ich mach' Joga-Kurse schon seit einigen Jahren und das tut mir gesundheitlich sehr gut, harmonisiert, entspannt …

Für Herrn Kürten im Werbespot hat das anscheinend geklappt!

Herr Kürten Und jetzt mache ich entspannt und in aller Ruhe meine Sendung …

Für das Wichtigste im Leben, BKK!

Sprechübungen

And now its your turn again. In this feature you heard about Krankenversicherung – health insurance schemes in Germany. You've already come across other compound nouns. The following exercise will help you practise some more. Listen and repeat:

---

[4] In some regions people use *net* instead of *nicht* in speech.

Werbe

→

Werbespot

→

Kranken

→

Krankenkasse

→

Betrieb

→

Krankenkasse

→

Betriebskrankenkasse

→

Versicherung

→

Krankenversicherung

→

Gesund

→

Gesundheit

→

Gesundheitssystem

→

System

→

Versicherung

→

Kranken

→

Krankenversicherungssystem

→

hoch

→

effizient

→

hocheffizient

→

Krankenversicherungssystem

→

ein hocheffizientes
Krankenversicherungssystem

→

staatlich

→

gesetzlich

→

Krankenkassen

→

staatliche und gesetzliche
Krankenkassen

→

Next an exercise to practise nicht
unbedingt – *not necessarily. First,
listen to the example:*

100 Jahre alt werden

**Ich möchte nicht unbedingt 100
Jahre alt werden!**

Now over to you.

100 Jahre alt werden

→

**Ich möchte nicht unbedingt 100
Jahre alt werden!**

Streß haben

→

**Ich möchte nicht unbedingt Streß
haben!**

Diät machen

→

**Ich möchte nicht unbedingt Diät
machen!**

etwas für die Gesundheit tun

→

**Ich möchte nicht unbedingt etwas
für die Gesundheit tun!**

Now you'll practise the useful expression: „Ich bin der Meinung, daß …" – 'I am of the opinion that …'. First listen to the example:

Rauchen Sie?

Nein, ich bin der Meinung, daß das Rauchen nicht gesund ist.

Now it's your turn.

Rauchen Sie?

➔

Nein, ich bin der Meinung, daß das Rauchen nicht gesund ist.

Arbeiten Sie?

➔

Nein, ich bin der Meinung, daß das Arbeiten nicht gesund ist.

Joggen Sie?

➔

Nein, ich bin der Meinung, daß das Joggen nicht gesund ist.

Gehen Sie spazieren?

➔

Nein, ich bin der Meinung, daß das Spazierengehen nicht gesund ist.

Do you remember Frau Patzwahl saying that the only exercise she gets is to run for the bus now and again – ab und zu? Here's a chance to practise that phrase. Listen to the example first:

zum Bus rennen

Ab und zu renne ich zum Bus.

Now it's your turn to have a go:

zum Bus rennen

➔

Ab und zu renne ich zum Bus.

Deutsch sprechen

➔

Ab und zu spreche ich Deutsch.

Gymnastik machen

➔

Ab und zu mache ich Gymnastik.

individuelle Diätberatung bekommen

➔

Ab und zu bekomme ich individuelle Diätberatung.

etwas für die Gesundheit tun

➔

Ab und zu tue ich etwas für die Gesundheit.

Für das Wichtigste im Leben, BKK!

Ende von Seite 2

This is the third Activities Cassette for the Open University German course level one: Auftakt.

Thema 5 Feiern

Hörabschnitt I

Sie arbeiten in einem Hotel und sind an der Vorbereitung einer Hochzeitsfeier beteiligt. Sie hören Fragen auf deutsch. Sprechen Sie in den Pausen.

1 Können Sie einen Tisch für 40 Personen reservieren?

→

Ja, natürlich, ein Tisch für 40 Personen wird reserviert.

2 Bestellen Sie auch die Blumen?

→

Ja, natürlich, die Blumen werden bestellt.

3 Und stellen Sie das Menü zusammen?

→

Ja, natürlich, das Menü wird zusammengestellt.

4 Und stellen Sie die Tischkarten auf?

→

Ja, natürlich, die Tischkarten werden aufgestellt.

5 Und wenn die Gäste kommen, servieren Sie gleich den Champagner?

→

Ja, natürlich, der Champagner wird gleich serviert.

6 Und buchen Sie die Zimmer für die Gäste?

→

Ja, natürlich, die Zimmer für die Gäste werden gebucht.

Hörabschnitt 2

In Ihrer Familie wird eine Hochzeit geplant. Sie hören auf englisch, was Sie sagen sollen. Sprechen Sie in den Pausen.

Ja, also wer telefoniert herum, um ein gutes Restaurant zu finden, das groß genug für so viele Personen ist?

(Hold on, we haven't agreed the date yet!)

→

Langsam, wir haben den Termin noch nicht festgelegt.

Ja, der Termin muß zuerst abgesprochen werden, aber trotzdem, kennt jemand hier ein gutes Restaurant?

(I'll make enquiries at the office. A colleague of mine got married recently.)

→

Ich werde mich im Büro erkundigen. Eine Kollegin von mir hat vor kurzem geheiratet.

Prima, es gibt unheimlich viel zu erledigen. Äh, wie ist es mit der Gästeliste?

(I'll put that together tomorrow.)

→

Die stelle ich morgen auf.

Na, und wer organisiert das Drucken der Einladungen?

(I can do that – when we've agreed a date.)

→

Ich kann das erledigen, wenn wir den Termin festgelegt haben.

Wir sollten auch eine Anzeige in der Zeitung aufgeben.

(You can do that. I'll order the flowers.)

→

Das kannst du machen, ich bestelle die Blumen.

(And don't forget to invite your great-grandmother.)

➜

Und vergiß nicht, deine Urgroßmutter einzuladen.

Das hat Zeit. Zuerst muß das Geld geregelt werden.

(That's your problem.)

➜

Das ist dein Problem.

Auch das noch. Da muß ich wohl mal meinen Kontostand überprüfen.

Hörabschnitt 3

Sie telefonieren mit einer Freundin, die Sie zum Grillen eingeladen hat. Sie hören auf englisch, was Sie sagen sollen. Sprechen Sie in den Pausen.

Hallo, Sabine hier.

(Hello Sabine, nice of you to ring.)

➜

Hallo, Sabine, nett von dir anzurufen.

Ich wollte nur fragen, ob du an meinem Geburtstag zum Grillfest kommen kannst.

(I'd love to come, but I won't be in Tübingen that weekend.)

➜

Ich würde sehr gerne kommen, aber ich bin an dem Wochenende nicht in Tübingen.

Oh, das ist aber schade.

(Yes, I'm really sorry, but it's my mother's birthday on Saturday.)

➜

Ja, es tut mir schrecklich leid, aber meine Mutter hat am Samstag Geburtstag.

Ach so.

(She'll be 60, and we're going to celebrate with lots of friends and relatives.)

➜

Sie wird 60 und wir feiern mit vielen Freunden und Verwandten.

Da mußt du natürlich dabeisein. Also grüße deine Mutter ganz herzlich von mir und bis bald.

(Yes … and thanks for calling. 'Bye.)

➜

Ja, und äh, danke für deinen Anruf. Tschüs.

Tschüs.

Hörabschnitt 4

Sie nehmen an zwei Interviews zum Thema Fastnacht teil. Sie hören auf englisch, was Sie sagen sollen. Sprechen Sie in den Pausen.

Interview I

Was machen Sie an Fastnacht?

(I stay at home and do nothing.)

➜

Ich bleibe zu Hause und mache nichts.

Warum?

(Because I can't stand Fastnacht.)

➜

Weil ich Fastnacht nicht ausstehen kann.

Ach, wirklich? Warum nicht?

(Because I don't like wearing fancy dress.)

➜

Weil ich mich nicht gern verkleide.

Aber gefällt Ihnen der Rosenmontagszug?

(No, it gets on my nerves. I live in the town centre and hear the noise all day.)

→

Nein, der geht mir auf die Nerven. Ich wohne im Stadtzentrum und höre den ganzen Tag den Lärm.

Gibt es irgendetwas, was Ihnen gefällt?

(Yes, I like Ash Wednesday when it's all over.)

→

Ja, ich mag Aschermittwoch, wenn alles vorbei ist.

Interview 2

Hallo, Entschuldigung. Wie finden Sie die Fastnacht hier?

(Fantastic. It's the best time in the whole year!)

→

Toll. Das ist die schönste Zeit im ganzen Jahr!

Warum?

(Because we go to lots of parties and life isn't so serious.)

→

Weil wir auf viele Feten gehen und das Leben nicht so ernst ist.

Was denken Sie über den Rosenmontagszug?

(It's always a very important event, for the children as well.)

→

Das ist immer ein sehr wichtiges Ereignis, auch für die Kinder.

Vielen Dank.

(My pleasure.)

→

Gern geschehen.

Hörabschnitt 5

Sie hören ein Interview mit zwei jungen Frauen, die sich als Hexen verkleidet haben.

Interviewer Warum sind Sie verkleidet?

Erste Hexe Weil ab 11.11. ist bei uns Fasnet.

Interviewer Und was passiert da?

Erste Hexe Da verkleidet man sich und treibt den Winter aus.

Interviewer Gut, und können Sie das ein bißchen näher erklären? Wie macht man das?

Erste Hexe Also, es ist ganz, äh, zurück in der Geschichte, das gibt's schon seit üb... also Jahrhunderten, verkleiden sich die Leute, um den Winter und die bösen Geister auszutreiben und halt ihren Spaß damit zu haben.

Interviewer Und seit wann machen Sie das, haben Sie das auch letztes Jahr gemacht?

Erste Hexe Ja.

Interviewer Jedes Jahr?

Erste Hexe Ja, jedes Jahr.

Interviewer Können Sie ein bißchen beschreiben, was Sie da tragen?

Zweite Hexe Also, das ist jetzt ein „Häs" nennt sich das und zwar, das sind die Hexen jetzt bei uns, jeder hat 'ne ei... 'ne eigene Maske und jede Maske ist verschieden und da gehören also bestimmte Sachen dazu, Hemd, Jacke, Stola, Rock, Schürze, verschiedene Socken und dann Bastschuhe usw. halt ...

Hörabschnitt 6

Weinprobe mit Kellermeister Götz

Interviewer Wir sind in der Württembergischen Zentralgenossenschaft und der Herr Kellermeister Götz wird mit uns jetzt eine Weinprobe machen. Äh, wir fangen mit den roten Weinen an. Auf was muß man eigentlich achten, wenn man einen Wein probiert?

Herr Götz Beim Probieren der Weine ist besonders darauf zu achten, auf die Farbe, das wäre die erste Bedingung, daß die Farbe schön klar ist bei den Rotweinen – eine nicht tiefdunkle Farbe …

Interviewer Das ist also die Farbe, was würden Sie dann noch, äh, sagen?

Herr Götz Äh, wenn wir die Farbe, wenn das Auge den Wein aufgenommen hat, dann natürlich abriechen mit der Nase. Das Auge, dann die Nase. Die Weine werden abgerochen und damit das Bukett, das Aroma so schön zur Geltung kommt.

Interviewer Zuerst das Auge, dann die Nase, und was dann?

Herr Götz Und dann der Mund, dann wird der Wein probiert und wird dann mit allen Sinnen aufgenommen, daß heißt, den Wein behält man kurze Zeit im Mund. Man beißt den Wein und erst dann können alle Sinne den Wein aufnehmen.

Interviewer Also zuerst … zuerst die Nase …

Herr Götz Zuerst die Nase … und wir beißen den Wein …

Interviewer Und dann wird der Wein gebissen …

Herr Götz Ja … ja …

Hörabschnitt 7

Ruth Blees-Luxemburg beschreibt ihre Rolle als Weinkönigin.

Eine Weinkönigin repräsentiert ihren Weinort und die Weine, die es in diesem Ort gibt. Also, der größte Auftritt ist natürlich die Krönung und das passiert, äh, im Sommer zum Weinfest dieses Dorfes und man wird, ähm, gekrönt, und dann hält man eine Ansprache, eine Rede. Es ist eine sehr große Ehre, das, äh, Dorf, aus dem man kommt, äh, zu repräsentieren und die Weine in … in Deutschland und auch international vorzustellen. Und später, äh, dann hat man die Möglichkeit zu reisen und zu verschiedenen Weinmessen und anderen Weinfesten zu reisen, nach Berlin zur, äh, Grünen Woche zum Beispiel. Also, es ist ganz phantastisch, weil man hat die Möglichkeit, ähm, viele Menschen kennenzulernen, die man als so junges Mädchen normalerweise nicht kennenlernen würde. Man lernt viele, äh, Politiker und Bürgermeister kennen.

Also ich hab' in meinem Jahr als Weinkönigin gelernt, ähm, mein eigenes Selbstbewußtsein aufzubauen und, ähm, die Möglichkeit zu haben, öffentliche Reden zu halten und auch mein Wissen über den Wein hat sich sehr, äh, verbessert. Ich habe an sehr vielen Weinproben teilgenommen und weiß jetzt natürlich daher weit mehr, den Wein zu schätzen.

Hörabschnitt 8

Herr Nirk und Herr Buder sprechen über das Rutenfest.

Interviewer Was bedeutet es für Sie, nach Ravensburg zurückzukommen zum Rutenfest?

Herr Nirk Man kommt in seine Heimat zurück und je älter man wird desto mehr spürt man, daß eigentlich die Heimat und die Schulzeit, äh, eine der entscheidensten Stationen im Leben eines Menschen sind.

Interviewer Worüber redet man da, wenn man sich 20 Jahre nicht gesehen hat?

Herr Buder Eigentlich vorwiegend über die alten Lehrer, die alten Zeiten, wie es eben in der Schule so gewesen ist, an was man sich eben grad' so erinnert. Und dann die übliche Frage: Wie geht's dir, was machst du, wo bist du? Das sind die üblichen Gespräche.

Herr Nirk Über … über alte Zeiten, über die alten Zeiten. Die alten Zeiten, es ist die Jugendzeit, man hat miteinander Streiche gemacht, man hat fröhliche Erlebnisse gehabt, man hat traurige Erlebnisse, … Das wird alles wieder ein bißchen aufgewärmt, das ist vielleicht Nostalgie dann.

Hörabschnitt 9

Sie sind auf dem Ravensburger Rutenfest und treffen dort einen Freund, den Sie sehr lange nicht gesehen haben. Sie hören auf englisch, was Sie sagen sollen. Sprechen Sie auf deutsch in den Pausen.

(Hello, I can't believe it. Franz!)

Hallo, das gibt's doch nicht. Franz!

Na, wenn ich mich nicht irre, ist das doch mein alter Freund aus England!

(How are you?)

➜

Wie geht's dir?

Ja, gut, danke. 's Leben geht weiter.

(What are you doing now?)

➜

Was machst du jetzt?

Ich arbeite noch im Rathaus, habe drei Kinder. Die sind jetzt auch schon groß.

(Do you remember the school exchange in 1965?)

➜

Erinnerst du dich an den Schüleraustausch 1965?

Ja, natürlich erinnere ich mich daran. Du warst zum ersten Mal in Deutschland.

(Yes, and now it's like my second home.)

➜

Ja, und jetzt ist es wie meine zweite Heimat.

Denkst du noch manchmal daran, wie wir zum ersten Mal zusammen auf's Rutenfest gegangen sind?

(I often think about it. That was such an interesting experience for me.)

➜

Ich denke oft daran. Das war so ein interessantes Erlebnis für mich.

Und, äh, erinnerst du dich an Krausmann, den Deutschlehrer?

(Of course, I remember Herr Krausmann. I'm sure he was a really nice man.)

➜

Natürlich erinnere ich mich an Herrn Krausmann. Er war bestimmt ein ganz netter Mann.

Tja, aber als Schüler haben wir das nicht so gesehen. Die Streiche, die wir ihm gespielt haben … weißt du noch?

(Yes, of course … but let's go and have a beer in the Bärengarten and talk about the good old days.)

➜

Ja, natürlich, aber laß uns in den Bärengarten gehen und ein Bier

trinken und über die guten alten Zeiten sprechen.

Ja, ein Bier und ein bißchen Nostalgie können nicht schaden.

Hörabschnitt 10

Sie sind Mitarbeiter im Komitee, das die Städtepartnerschaft zwischen Birmingham und Leipzig organisiert. Sprechen Sie in den Pausen nach jeder Frage.

Guten Tag. Ich hätte gerne einige Informationen zu den Veranstaltungen nächste Woche. Wann beginnt das Straßenfest zum Auftakt?

➔

Es beginnt am Sonnabend, dem 7. Mai um 16.00 Uhr.

Und das Konzert des Symphonieorchesters von Birmingham, wann und wo findet das statt?

➔

Es findet am Sonntag, dem 8. Mai um 18 Uhr im Gewandhaus statt.

Danke. Und das Tanztheater – wie heißt es noch – Kokuma. Wann und wo hat das seinen Auftritt?

➔

Das Tanztheater hat seinen Auftritt am Mittwoch, dem 11. Mai um 19.30 im Schauspielhaus.

Eine letzte Frage noch – wann und wo ist das Abschlußkonzert?

➔

Das ist am Freitag, dem 13. Mai um 19.30 Uhr in der Nikolaikirche.

Hörabschnitt 11

Sie sind in Leipzig und dolmetschen für Tanja Petersen und James Barker. Sprechen Sie auf deutsch oder auf englisch in den Pausen.

Darf ich mich vorstellen? Mein Name ist Tanja Petersen und ich arbeite im Jugendclub „Völkerfreundschaft".

➔

May I introduce myself? My name is Tanja Petersen and I work at the 'Völkerfreundschaft' youth club.

(Pleased to meet you, I'm James Barker, I'm a teacher.)

➔

Freut mich, ich bin James Barker, ich bin Lehrer.

(Sind Sie zum ersten Mal in Leipzig?)

➔

Is it your first time in Leipzig?

(Yes, and my first time in Germany.)

➔

Ja, und das erste Mal in Deutschland.

(Haben Sie schon etwas von Leipzig gesehen?)

➔

Have you seen anything of Leipzig yet?

(No, not much yet. We had dinner in Auerbachs Keller on Sunday evening.)

➔

Nein, noch nicht viel. Wir haben am Sonntag abend in Auerbachs Keller gegessen.

(In Leipzig gibt es eine ganze Menge zu sehen.)

➔

There's a lot to see in Leipzig.

(Yes, I hope we'll have time to go sightseeing tomorrow or the day after tomorrow.)

→

Ja, ich hoffe, wir haben morgen oder übermorgen Zeit, die Stadt zu besichtigen.

(Am besten nehmen Sie an einer Stadtrundfahrt teil.)

→

The best thing is to join a guided tour.

(I think there's one in our programme on Friday afternoon.)

→

Ich glaube, wir haben am Freitag nachmittag eine im Programm.

(Oh, ich glaube unsere erste Sitzung fängt gleich an.)

→

Oh, I think our first meeting is about to start.

(Yes, let's go in.)

→

Ja, gehen wir 'rein.

Hörabschnitt 12

Was trinken Sie gern? Sie hören Stichworte auf deutsch. Sprechen Sie in den Pausen.

1 *Pilsner – Bockbier*

→

Am liebsten trinke ich Pilsner, aber ich trinke auch ganz gern Bockbier.

2 *Weißwein – Rotwein*

→

Am liebsten trinke ich Weißwein, aber ich trinke auch ganz gern Rotwein.

3 *französischer Wein – deutscher Wein*

→

Am liebsten trinke ich französischen Wein, aber ich trinke auch ganz gern deutschen Wein.

4 *helles Bier – dunkles Bier*

→

Am liebsten trinke ich helles Bier, aber ich trinke auch ganz gern dunkles Bier.

Na dann, prost!

Hörabschnitt 13

Sie waren bei einer Weinprobe in Württemberg. Ein Bekannter möchte wissen, wie es war. Sprechen Sie in den Pausen direkt nach den Fragen Ihres Bekannten.

Wie war denn Ihre Weinprobe in Württemberg?

Sehr gut. Als wir ankamen, hat uns gleich der Winzer begrüßt.

Oh …

→

Dann wurden wir in den Probierkeller geführt.

Aha.

→

Und dort standen schon die Weinflaschen. Wir haben vier verschiedene Weißweine probiert.

Erzählen Sie mal der Reihenfolge nach. Ich war noch nie auf einer Weinprobe.

→

Zuerst wurde eine Flasche Qualitätswein geöffnet.

Ja, und dann bekamen Sie jeder so ein kleines Probierglas?

→

Ja genau, und dann wurde der Wein betrachtet und anschließend gerochen.

Hmm. Aber trinken durften Sie auch?

→

Ja, danach wurde der Wein auch probiert.

Und dann?

→

Dann wurde die nächste Flasche Wein geöffnet. Das was eine Spätlese.

Gab es auch etwas zu essen?

→

Ja, zwischendurch wurde Weißbrot gegessen, aber zum Schluß waren wir trotzdem alle beschwipst.

Hahahaha.

Hörabschnitt 14

In diesem Hörabschnitt üben Sie, eine Einladung anzunehmen oder abzulehnen. Sie hören auf englisch, was Sie sagen sollen. Sprechen Sie in den Pausen.

1 Ach, gut, daß ich Sie treffe. Ich möchte Sie gerne zu meiner Geburtstagsfeier am nächsten Samstag einladen.

(That's very nice of you. I'd like to come.)

→

Das ist sehr nett von Ihnen. Ich komme gern.

Ach, prima, also Samstag so gegen sieben bei uns in der Schillerstraße.

2 Ich rufe an, um zu fragen, ob du zu unserem Polterabend am Donnerstag kommen kannst.

(That's very nice of you, but unfortunately Thursday isn't possible because I've got something else planned.)

→

Das ist sehr nett von euch, aber leider geht es am Donnerstag nicht, weil ich schon etwas anderes vorhabe.

Das ist schade. Dann mußt du uns nach der Hochzeit mal in der neuen Wohnung besuchen!

3 Guten Abend. Ich rufe an, um Ihnen zu sagen, daß wir unser Sommerfest diesmal bei uns zu Hause im Garten abhalten werden. Ich hoffe, Sie können kommen.

(I'm very sorry, but I won't be in Tübingen next week. I'll be away on business.)

→

Es tut mir sehr leid, aber ich bin nächste Woche nicht in Tübingen. Ich bin geschäftlich unterwegs.

4 'Tag, darf ich Sie einen Moment stören?

(Yes, of course, and congratulations on your promotion.)

→

Ja, natürlich, und herzlichen Glückwunsch zu Ihrer Beförderung.

Ja, deshalb komme ich. Ich würde Sie gerne zu einem Glas Wein heute abend im Faustkeller einladen.

(Great! I'm happy to accept the invitation. Many thanks.)

→

Prima! Ich nehme die Einladung gern an. Vielen Dank.

Ende von Seite 1

Thema 6 Ernährung und Fitness

Hörabschnitt 1

Sie nehmen an einem Interview teil. Sie hören auf englisch, was Sie sagen sollen. Sprechen Sie in den Pausen.

Glauben Sie, daß Sie gesund essen?

(Yes, I eat a lot of vegetables and I try to get by without much meat.)

Ja, ich esse viel Gemüse und ich versuche, mit wenig Fleisch auszukommen.

Was ist Ihr Lieblingsessen?

(My favourite meal is fish soup. I'm famous for my fish soup!)

Mein Lieblingsessen ist Fischsuppe. Ich bin berühmt für meine Fischsuppe!

Und Ihr Lieblingsgetränk?

(Beer. There's nothing like a cold beer.)

Bier. Es geht doch nichts über ein kühles Bier.

Und gibt es etwas, was Sie nicht vertragen können?

(Yes, fatty foods don't agree with me.)

Ja, fettes Essen vertrage ich nicht gut.

Hörabschnitt 2

Sie hören eine Diskussion zum Thema Fleisch essen oder vegetarisch essen.

Reporter Frau Sonnenberg und Peter Sonnenberg, vielen Dank, daß Sie hier ins Studio gekommen sind. Unsere Diskussion heute ist zum Thema Fleisch essen oder vegetarisch essen. Ich stelle einfach mal so eine Behauptung in den Raum: Fleisch ist gesund. Was sagen Sie dazu?

Frau Sonnenberg Ich stimme zu. Menschen brauchen tierisches Eiweiß für eine gesunde Ernährung. Und ich finde, Fleisch schmeckt gut. Hier in Deutschland sind die meisten guten Gerichte Fleischgerichte.

Peter Ich stimme nicht zu. „Fleisch ist gesund." Das ist Unsinn. Viele Tiere werden mit Hormonen behandelt. Das ist für die Menschen, die das Fleisch dann essen, total ungesund. Und Leute, die viel Fleisch essen, haben auch öfter Probleme mit dem Herzen und dem Blutdruck und, ähm, … und dem Cholesterin.

Frau Sonnenberg Also, ich bin anderer Meinung. Es sind die Umweltgifte, die krank machen, nicht das Fleisch. Ich glaube, daß das, äh, Vegetariersein eine Mode ist. Das ist im Moment „in".

Peter Nein, das ist keine Mode. Meiner Meinung nach ist es falsch, Tiere zu essen, weil Tiere auch Lebewesen sind, die Angst und Schmerzen haben usw. Die Tierhaltung und die Tiertransporte sind oft inhuman. Das finde ich nicht richtig.

Frau Sonnenberg Also, ich bin über das Thema Tiertransporte nicht so gut informiert, aber ich bin der Meinung, daß es normal ist, Tiere zu töten. Menschen essen Tiere und Tiere fressen andere Tiere. Das ist die Nahrungskette.

Peter Äh, ich bin mir da nicht so sicher. Außerdem könnten durch Getreide mehr Menschen satt werden.

Und dann gibt es die Tierkrankheiten wie den Rinderwahnsinn. Die sind gefährlich.

Frau Sonnenberg Oh, das glaube ich auch, aber trotzdem gibt es auch gutes Fleisch. Bei unserem Metzger hab' ich noch nie was Schlechtes gekauft.

Peter Ich bin seit drei Jahren Vegetarier. Ich esse viel Gemüse und ich esse auch Milchprodukte. Ich denke, ich lebe gesund.

Reporter Okay. Vielen Dank Frau Sonnenberg und Peter. Das war's von uns für heute. Ich gebe weiter an meine Kollegin im Nachrichtenstudio …

Es ist 20 Uhr. Die Nachrichten.

Hörabschnitt 3

Sie üben jetzt verschiedene Ausdrücke, wie Sie Ihre Meinung sagen können.

1 *I agree.*

→

Ich stimme zu.

2 *That's nonsense!*

→

Das ist Unsinn.

3 *I'm not sure.*

→

Ich bin mir nicht sicher.

4 *I'm of a different opinion.*

→

Ich bin anderer Meinung.

5 *I'm not very well informed about the topic.*

→

Ich bin über das Thema nicht so gut informiert.

6 *I don't think that's right.*

→

Das finde ich nicht richtig.

Hörabschnitt 4

Sie hören Aussagen auf deutsch. Sagen Sie Ihre eigene Meinung dazu. Sprechen Sie in den Pausen. Diesmal gibt es keine Lösung.

1 Es ist ungesund, regelmäßig Fleisch zu essen.

→

2 Tiertransporte sind oft inhuman.

→

3 Bio-Kost schmeckt meistens sehr gut.

→

4 Die Tiere bekommen zu viele Hormone.

→

5 Ohne Fleisch kann man nicht leben.

→

Hörabschnitt 5

Hören Sie Interviews mit Leuten, die eine Diät einhalten müssen.

Interviewer Herr Baldes, warum sind Sie auf Diät?

Herr Baldes Das ist ganz einfach. Ich bin zu dick. Ich habe 10 Kilo Übergewicht und versuche sie runterzukriegen. Ich kann essen, was ich will, aber höchstens 1 000 Kalorien pro Tag. Das ist nicht viel. Ich habe praktisch immer Hunger.

Interviewer Frau Gernot, Sie müssen eine spezielle Diät machen, warum?

Frau Gernot Ich habe Diabetes, also ich bin zuckerkrank. Das liegt bei uns in der Familie, meine Mutter hatte das auch und auch meine Tante. Ich habe eine diätkontrollierte Diabetes, das heißt äh … ich muß keine Tabletten nehmen und kein Insulin spritzen, aber ich muß eine sehr strenge Diät einhalten. Ich darf praktisch keinen Zucker essen und kein Fett. Ich muß ballaststoffreiche Kost zu mir nehmen, also Vollkornbrot, viel Gemüse und Obst, aber keine Obstsorten, die zuviel Zucker enthalten, wie äh … Bananen oder Birnen. Ich soll auch mageres Fleisch, Geflügel und Fisch essen. Ich muß mich ausgewogen ernähren und ich muß vor allem regelmäßig kleine Mahlzeiten zu mir nehmen, also ich esse fünfmal am Tag, aber nie sehr viel. Ich soll auch viel trinken.

Hörabschnitt 6

Dr. Berger erzählt, wie oft er Sport treibt.

Ich achte auch im Grunde zu wenig auf meine Gesundheit. Ich versuche zumindest im Urlaub Sport zu machen, skifahren und schwimmen zu gehen und wandern in den Bergen, und ich mache einmal die Woche – betreue ich eine Koronarsportgruppe – das ist, äh, spezieller Sport für herzkranke Patienten – da mache ich selbst mit. Das motiviert die Leute auch. Das tut mir sehr gut. Ich fahre am Wochenende, wenn ich frei habe, mit dem Fahrrad, aber sonst mache ich auch zu wenig Bewegung und, äh, auch zu wenig Sport.

Hörabschnitt 7

Sie nehmen an einem Interview teil. Sie hören auf englisch, was Sie sagen sollen. Sprechen Sie in den Pausen.

Was für Sport machen Sie?

(Unfortunately, I don't do a lot of sport because I have too little time.)

➔

Leider mache ich nicht viel Sport, weil ich zu wenig Zeit habe.

Aber machen Sie denn irgendetwas?

(Yes, once a week I go swimming. That does me good.)

➔

Ja, einmal in der Woche gehe ich schwimmen. Das tut mir gut.

Sie wohnen hier in der Nähe vom Wald. Gehen Sie manchmal joggen?

(No, in my opinion jogging isn't a very healthy sport.)

➔

Nein, meiner Meinung nach ist Joggen keine sehr gesunde Sportart.

Und Ihre Kinder – treiben sie Sport?

(Yes, our son plays football almost every day and at the weekend he does canoeing.)

➔

Ja, unser Sohn spielt fast jeden Tag Fußball und am Wochenende fährt er Kanu.

So aktiv bin ich leider nicht!

Hörabschnitt 8

Sie rufen das Fitness-Studio Nord an, um Informationen zu bekommen. Sprechen Sie in den Pausen direkt nach den Fragen oder Antworten der Rezeptionistin.

Guten Morgen. Kann ich Ihnen helfen?

➔

Guten Morgen. Eine Bekannte hat mir vom Fitness-Studio Nord erzählt und ich möchte gern nähere Auskunft.

Gut. Was möchten Sie wissen?

➔

Was kostet es, Mitglied zu werden?

Das hängt davon ab, wie oft man es benutzt. Sie können zum Beispiel DM 405,– für 6 Monate bezahlen, und die Fitnessgeräte bis 16 Uhr benutzen.

→

Und, ähm kann man an Gymnastikkursen teilnehmen?

Ja, aber nur am Wochenende.

→

Hm, und können Sie mir sagen, wie die Öffnungszeiten am Wochenende sind?

Samstags haben wir von 10 bis 15 Uhr und sonntags von 10 bis 14 Uhr geöffnet.

→

Gut – und wie ist es mit Kinderbetreuung? Ich habe zwei Töchter im Alter von 3 und 5 Jahren.

Ja, Ihre Kinder können betreut werden, während Sie die Geräte benutzen, aber nur montags, mittwochs und freitags vormittags, sonst leider nicht.

→

Vielen Dank für Ihre Hilfe. Äh, ich komme morgen, um das Formular auszufüllen. Auf Wiederhören.

In Ordnung. Auf Wiederhören.

Hörabschnitt 9

Ist das Streß oder Erholung? Was denken Sie? Sprechen Sie in den Pausen.

1 8 Stunden am Computer sitzen

→

Ich denke, das ist Streß.

2 einen Beruf mit langen, unregelmäßigen Arbeitszeiten haben

→

Ich denke, das ist Streß.

3 den Fischen im Aquarium zuschauen

→

Ich denke, das ist Erholung.

4 unter einer Palme liegen

→

Ich denke, das ist Erholung.

5 Squash spielen

→

Ich denke, das ist Streß!

Hörabschnitt 10

Sie sprechen mit einer Freundin über Ihren Besuch bei Dr. Pfeiffer. Sprechen Sie in den Pausen.

Hallo. Schön, wieder von dir zu hören. Wie geht's?

→

Ich habe gerade mit Dr. Pfeiffer gesprochen – ich fühle mich jetzt viel besser.

Was war mit dir los?

→

Es gibt so viele Dinge, die mich jeden Tag stressen, zum Beispiel mein Chef am Arbeitsplatz.

Und ich dachte immer, dein Chef ist sehr nett.

→

Ja, aber ich fühle mich immer unter Druck.

Und was hat Dr. Pfeiffer gesagt?

→

Ich soll mich ein bißchen mehr entspannen und auch zu viel Alkohol vermeiden.

Oje!

→

Ich darf auch nicht mehr rauchen.

Das klingt ja sehr gesund! Hat er dir sonst noch was empfohlen?

→

Ja, ich soll mich nicht so abhetzen und mich öfter ausruhen.

Gibt es irgendwas, was ich für dich tun könnte?

→

Tja, hast du Lust, am Wochenende mit mir im Wald spazierenzugehen?

Gute Idee! Ich brauche auch ein bißchen Erholung.

Hörabschnitt 11

Sie hören einen Dialog in einer Arztpraxis.

Herr Reimer Ich fühle mich nicht wohl – mir ist schlecht, ich hab' seit zwei Tagen Kopfschmerzen und auch Muskelschmerzen.

Ärztin Haben Sie auch Fieber?

Herr Reimer Na ja, ich hab' 38 Grad Fieber und ich fühle mich ein bißchen wackelig auf den Beinen.

Ärztin Tja – das klingt gar nicht gut. Ich denke, Sie leiden an einer Virusinfektion …

Herr Reimer Ah.

Ärztin … und Sie sollten mindestens drei Tage im Bett bleiben. Ich schreibe Sie eine Woche krank und Sie sollten ruhig liegen.

Herr Reimer Und, ähm, brauche ich Medikamente?

Ärztin Ich verschreibe Ihnen etwas gegen die Schmerzen und das Fieber, aber vor allen Dingen sollten Sie viel Flüssigkeit zu sich nehmen. Sie sollten so oft wie möglich etwas Warmes trinken – Kräutertee zum Beispiel – und, äh, Sie brauchen auch viel Ruhe. In einigen Tagen wird das Fieber wahrscheinlich weg sein, aber Sie sollten sich nächste Woche schonen. Hier ist das Rezept.

Hörabschnitt 12

Sie hören einen Dialog in einer Apotheke.

Apotheker Guten Tag.

Kundin Guten Tag. Ich brauche noch ein paar Sachen für meine Reiseapotheke – Moment – also erstmal Kohle-Tabletten – die … die größere Packung bitte – und, ähm, eine elastische Binde … und, ähm, was haben Sie gegen Schnupfen?

Apotheker Möchten Sie lieber Tropfen oder ein Spray?

Kundin Ich weiß nicht. Was ist am wirksamsten?

Apotheker Die Tropfen sind vielleicht wirksamer, aber das Spray ist beliebter, vor allem bei Kindern.

Kundin Hmm – geben Sie mir die Tropfen. Und letztes Jahr hatte ich eine Sonnenallergie und die Ärztin hat mir so Sprudel-Tabletten empfohlen.

Apotheker Ja, das sind Kalzium-Tabletten gegen allergische Reaktionen. Die gibt es in normal oder forte – forte ist stärker und etwas teurer.

Kundin Na, ich nehme die normalen, die hatte ich letztes Jahr. Und, ähm, was haben Sie gegen Insektenstiche?

Apotheker Wir haben Dragées, die empfehlen wir in schweren Fällen, bei Wespenstichen zum Beispiel oder sonst eine Salbe gegen den Juckreiz.

Kundin Ja, die Salbe ist in Ordnung.

Apotheker 20g?

Kundin Gibt es eine größere Tube?

Apotheker Ja, 30g.

Kundin In Ordnung. Das wäre dann alles.

Apotheker Äh, brauchen Sie vielleicht noch ein Sonnenschutzmittel, wir haben eine neue Reihe mit extra hohem Sonnenschutzfaktor für besonders empfindliche Haut und wenn Sie zu Allergien neigen.

Kundin Nein, danke. Wir haben einen ganzen Schrank voll Sonnencremes.

Apotheker Gut – das macht dann also DM 45,90 bitte …

Kundin Ja.

Apotheker Schönen Dank. Auf Wiedersehen.

Kundin 'Wiedersehen.

Hörabschnitt 13

Sie nehmen an einem Dialog in einer Apotheke teil. Sprechen Sie in den Pausen.

Guten Tag. Bitte schön?

→

Ich möchte gern ein Fieberthermometer.

Wir haben zwei verschiedene. Ich zeige sie Ihnen. Das Digital-Thermometer ist genauer, aber auch etwas teurer – DM 19,95, das andere kostet DM 14,– .

→

Naja, ich nehme doch das Billigere.

In Ordnung. Sonst noch etwas?

→

Haben Sie etwas gegen Kopfschmerzen?

Hmm, Aspirin oder etwas Stärkeres?

→

Etwas Stärkeres, bitte, die kleinste Packung.

Ja, hmm, ich gebe Ihnen diese Tabletten.

→

Hat das Medikament Nebenwirkungen?

Tja, die meisten Medikamente haben auch Nebenwirkungen – da lesen Sie am besten den Beipackzettel. Und

wenn die Symptome nicht weggehen, müssen Sie zum Arzt gehen.

→

Ich komme aus dem Ausland. Zu welchem Arzt kann ich hier gehen?

Hier um die Ecke ist ein sehr guter praktischer Arzt, aber wenn Sie keinen Auslandskrankenschein haben, müssen Sie eventuell erstmal privat bezahlen und dann das Geld in Ihrem Heimatland zurückverlangen. So, ähm, DM 14,– das Fieberthermometer und die Tabletten …

Hörabschnitt 14

Sie sprechen mit einem Freund über Ihren Besuch beim Arzt. Sie hören auf englisch, was Sie sagen sollen. Sprechen Sie in den Pausen.

'Tag, wie geht's? Wie war's beim Arzt?

(Well, I've got some health problems and I have to keep to a strict diet.)

→

Na, ich habe einige Gesundheitsprobleme und muß eine strenge Diät einhalten.

Hmm, das hört sich ja schlimm an!

(Yes, I don't want to go on a diet, but I'm 15 kilos overweight.)

→

Ja, ich will keine Diät machen, aber ich habe 15 Kilo Übergewicht.

Und was sollst du genau machen?

(The doctor said I should eat more vegetables and not so much meat.)

→

Der Arzt hat gesagt, ich soll mehr Gemüse essen und nicht so viel Fleisch.

Kein Fleisch!

(Yes, my blood pressure's too high.)

33

Ja, mein Blutdruck ist zu hoch.

Hmm, vielleicht solltest du mehr Fisch essen. Ißt du gerne Fisch?

(No, I can't stand fish.)

Nein, ich kann Fisch nicht ausstehen.

Hm … oje! Und hat der Arzt dir sonst noch etwas empfohlen?

(Yes, I'm not allowed to smoke and for the next month I'm not allowed to drink alcohol.)

Ja, ich darf nicht rauchen und im nächsten Monat keinen Alkohol trinken.

Ach du liebe Zeit!

(And I'm also supposed to do more sport.)

Und mehr Sport treiben soll ich auch.

Spiel doch mit deiner Nichte Tennis. Die freut sich bestimmt!

Hörabschnitt 15

Sie hören einen Werbespot im Radio.

„Jetzt wo ich endlich 'was gegen meine trockenen, spröden Lippen gefunden habe – Heinz! –, nämlich Blistex Lippenbalsam aus der Tube, sind – Heinz! – also mit Blistex Lippenbalsam sind meine Lippen immer so weich und geschmeidig, daß mein Heinz …"

Blistex Lippenbalsam aus der Tube macht spröde Lippen sofort wieder zart!

Hörabschnitt 16

Frau Schmidt erzählt von ihrer Kur.

Ich war im vergangenen Jahr in Bad Elster zu einer Kur. Ich muß sagen, ich habe sehr stark Osteoporose, also diese typische Krankheit, die die älteren Frauen vor allem haben, wenn die Knochen dann so etwas leicht werden, und früher war ich nie zur Kur. Das war meine allererste Kur im vergangenen Jahr. In Bad Elster war's sehr anstrengend – vier Wochen und jeden Tag mindestens ein bis zwei Behandlungen – also hinterher tat mir viel mehr weh als vorher. Aber es hat mich am Tag – neun Mark muß man bezahlen und alles andere ist dann frei – mit Vollpension und alles – also es ist sehr schön, aber diese Kur kriegt man nur alle drei Jahre und da ich sehr starke Rückenschmerzen sehr oft habe, fahre ich in diesem Jahr, also im April jetzt, in den Schwarzwald nach Wildbad, und dort mache ich eine Kur auf meine eigenen Kosten.

Hörabschnitt 17

Der letzte Hörabschnitt dieses Themas ist eine Umfrage zum Thema Sport. Sie hören die Frage des Interviewers, gefolgt von Stichwörtern auf deutsch. Sprechen Sie in den Pausen.

1   So, guten Tag. Was ist denn Ihr Lieblingssport?

(Schwimmen – Ausdauer stärken)

Mein Lieblingssport ist Schwimmen. Ich schwimme, um meine Ausdauer zu stärken.

2 Und äh … darf ich Sie fragen? Was ist Ihr Lieblingssport?

(Joggen – Übergewicht abbauen)

➔

Mein Lieblingssport ist Joggen. Ich jogge, um mein Übergewicht abzubauen.

3 Und was ist Ihr Lieblingssport?

(Kegeln – sich bewegen und Leute treffen)

➔

Mein Lieblingssport ist Kegeln. Ich kegele, um mich zu bewegen und um Leute zu treffen.

4 Hallo, bitte äh … Was ist denn Ihr Lieblingssport?

(Volleyball – Spaß haben und sich bewegen)

➔

Mein Lieblingssport ist Volleyball. Ich spiele Volleyball, um Spaß zu haben und um mich zu bewegen.

5 Guten Tag. Bitte, was ist Ihr Lieblingssport?

(Radfahren im Wald – die frische Luft genießen und fit bleiben)

➔

Mein Lieblingssport ist Radfahren im Wald. Ich fahre Rad, um die frische Luft zu genießen und um fit zu bleiben.

Ende von Seite 2

Video

Thema 5 Feiern
0:00–14:01

Teil I 0:00–04:05

Tübingen im April. Freitag ist Markt vor dem Rathaus … und im Standesamt findet alle 30 Minuten eine Trauung statt.

Ilona Bitzer, Standesbeamtin, Tübingen

Ich will mich dann auch noch ganz kurz vorstellen. Mein Name ist Bitzer, ich bin hier eine von drei Standesbeamten, die eben hier in der Tübinger Kernstadt unter anderem eben für die Eheschließung zuständig sind. Bevor das Paar überhaupt heiraten kann, müssen sie ja gewisse Vorbereitungen treffen. In Deutschland wird eine Ehe geschlossen, indem man vorher auf das Standesamt geht, und, ja, ein sogenanntes Aufgebot bestellt, und dann muß man verschiedene Papiere vorlegen. Wir prüfen, ob das Paar überhaupt heiraten kann, sprich ob beide ledig sind oder irgend schon vorher eine Ehe besteht, ob die beiden volljährig sind. Dann findet eine, ja, eine feierliche Zeremonie statt. Das Brautpaar und die zwei Trauzeugen unterschreiben das dann auch hier auf dem Standesamt, daß sie eben jetzt beschlossen haben, zu heiraten.

Salvatore Eacovone, wollen Sie mit der hier anwesenden Bianca Riexinger die Ehe schließen? Dann antworten Sie bitte mit „ja".

Salvatore Eacovone Ja.

Ilona Bitzer

Und Bianca Riexinger, wollen Sie ebenfalls mit dem hier anwesenden Salvatore Eacovone die Ehe schließen? Dann antworten Sie bitte ebenfalls mit „ja".

Bianca Riexinger Ja.

Ilona Bitzer

Dann, nachdem Sie jetzt beide die von mir gestellte Frage hier mit „ja" beantwortet haben, stelle ich fest, daß Sie jetzt rechtmäßig verbundene Eheleute sind.

Wenn die beiden dann noch kirchlich heiraten möchten – es ist ja nicht Pflicht – kommt des öfteren vor, allerdings ist da eben, das geht erst, wenn die standesamtliche Trauung, ja, äh, auf dem Standesamt geschehen ist. Also, kirchliche Trauung und standesamtliche Trauung können nicht parallel laufen, oder „entweder oder", sondern jedes Paar, das in Deutschland heiraten will, muß zuerst auf das Standesamt kommen zum Heiraten, und kann danach, wenn es möchte, noch in die Kirche gehen.

Monika Andačić

Ja, die kirchliche Feier, die wird in Kroatien sein im August. Da wird die Hochzeit in Weiß sein.

Ivica Medugorac *(spricht Kroatisch)*

Standesbeamter

Darf ich Sie dann fragen, Ivica Medugorac: Wollen Sie mit der hier anwesenden Monika Andačić die Ehe eingehen? Dann antworten Sie mir mit „ja".

Ivica Medugorac Ja.

Standesbeamter

Darf ich dann Sie fragen, Monika Andačić: Wollen Sie mit dem hier anwesenden Ivica Medugorac die Ehe eingehen, dann antworten Sie ebenfalls mit „ja"

Monika Andačić Ja.

Standesbeamter

Sie haben soeben beide die von mir gestellte Frage vor ihren Trauzeugen mit „ja" beantwortet. Ich spreche aus, daß Sie damit laut Gesetzes rechtmäßig verbundene Eheleute sind.

Monika Medugorac und ihr Mann Ivica sind beide aus Kroatien. Sie ist Zahnarzthelferin, er ist Kellner. Sie haben sich in einem Café in Tübingen kennengelernt.

Standesbeamter

Dann würde ich sagen, das wäre jetzt auch der richtige Augenblick …

Monika Medugorac

Ja, wir hatten Gäste aus dem Ausland. Seine Eltern, also, Verwandte sind welche von unten gekommen, aus Osjek, also in Kroatien, und die haben wir dann aufgenommen, und dann natürlich Bestellung, und und und, alles, was halt dazugehört. Also jetzt gehen wir erst mal ins Parkhaus, wo wir das Auto gelassen haben, holen das, und dann gehen wir halt, fahren wir nach Reutlingen, wo im Restaurant alles reserviert wurde. Und dann geht die ganze Verwandtschaft, und gehen wir drüben feiern. Und am Abend, da gehen wir noch mal zu uns in die Wohnung und dann halt auch noch mal gemütliches Beisammensein, Kaffee trinken und halt alles, was dazugehört.

Ein bißchen Tanzen, und – naja – mal sehen, wie die Stimmung wird!

Teil 2   04:06–09:02

Dezember in Leipzig. Es ist Adventszeit. Der alljährliche Weihnachtsmarkt auf dem Rathausplatz ist aufgebaut und den ganzen Dezember lang ist der Bummel über den Markt eine der Lieblingsbeschäftigungen für jung und alt. Alles, was man für ein festliches Weihnachten braucht oder auch nicht braucht, ist im Angebot: Kerzen, Dekorationen, Süßigkeiten. Aber es sind die Kinder, die den Weihnachtsmarkt am meisten lieben. Von der festlichen Stimmung, von den vielen verschiedenen Düften und Farben verzaubert, sind sie voller Vorfreude auf das Weihnachtsfest.

Angelika Frenzel, Augenoptikerin, Leipzig

Also, für mich ist Advent eigentlich, äh, der Adventskranz, also, daß – der ist Tradition so, bei uns auch schon in der Familie, bei meinen Eltern. Jeden Advent eine Kerze mehr anzubrennen, bis eben Weihnachten dann vor der Tür steht. Und Stolle', selbstgebackene Plätzchen, ja, Weihnachtsmarkt, so ein bissel bummeln, Glühwein! Das sind alles so Stichpunkte, die für mich Advent sind.

Familie Frenzel beim Adventstee

Ja, was war denn überhaupt bei Euch heute im Adventskalender drin? Jetzt in dem, im, nicht in dem Süßigkeitskalender, sondern …

Conrad Frenzel

Bei dem Süßigkeitskalender wissen sie ja, was drin ist.

Angelika Frenzel

Das ist ja schon verschwunden, im Bauch.

Antje Frenzel

Nee, bei mir war 'n Engel drinne, ja, aus Schokolade und dann ein Milky Way und dann noch den anderen, im Papierkalender war so 'ne alte Dame drinnen mit so 'ner Laterne in der Hand.

Diana Ludwig, Verkäuferin, Leipzig

Ja, also traditionell ist es halt so, daß der Weihnachtsbaum weiß geschmückt wird, also mit weißen Kugeln, silbernes Lametta und weißen Sternen und dann noch vielleicht weißem Schnee; und jetzt ist es aber auch viel, daß es jetzt viele so den bäuerlich schmücken, also, halt mit roten Kugeln, vielleicht rot eingepackten Paketen, und vielleicht dann auch noch roten Schleifen und dann auch so Holzfiguren, vielleicht hier so kleine Schaukelpferde, oder auch so kleine Nußknacker; es ist halt unterschiedlich, wie das jeder mag.

Christine Frenzel

Also bei uns ist Weihnachten das so, daß am meisten, also manchmal machen wir mit, den Weihnachtsbaum schmücken. Und manchmal ist es eben eine Überraschung für uns, da schmücken die Eltern das dann davor schon und schmücken den, und wir dürfen eben nicht dabei sein. Und wenn wir dann eben dann Heiligabend 'reingehen, das ist für uns dann ganz, also, 'ne Überraschung, so ungefähr. Und wir gehen als erstes Mal in die Kirche und, und dann treten wir, also dürfen wir 'reingehen und die Geschenke aufmachen und so und Lieder singen.

Angelika Frenzel

Wie gesagt, vor der ganzen, äh, Adventszeit, äh, habe ich immer dann so das Gefühl, also, die Sommerzeit ist die schönere. Aber, äh, dann, wenn die Adventszeit dann naht und die Weihnachtszeit, also das, dann ist es natürlich ein Erlebnis, gerade in der Familie mit Kindern und, äh, es ist also jedes Jahr wieder von neuem schön. Wenn man Kinderaugen sehen kann, ich glaube dann, äh, braucht man kein Fernsehen, dann braucht man nichts anderes, wenn man dann die Freude, dann dort sich widerspiegelt, das ist eigentlich das Schönste an Weihnachten.

Teil 3   09:03–14:01

Dr. Wilfried Setzler

Das ist in Deutschland ganz unterschiedlich, was am Nikolaus, äh, geschieht, aber meistens ist es so, daß inzwischen die Kinder nach der eher amerikanischen Sitte am Abend vorher, also am 5ten Dezember, Schuhe vor die Tür stellen und ihnen der Nikolaus in der Nacht etwas in die Schuhe legt.

Lucy Baumeister

Wir Kinder, wir stehen morgens auf, und gucken vor die Türe, und am Tag davor haben wir unsere Stiefel 'rausgestellt, und wenn wir dann die Türe aufmachen, dann holen wir unsere Stiefel 'rein. Und in den Stiefeln hat es dann Schokoladen-Nikoläuse, oder Nüsse und einen Tannenzweig und vielleicht noch Mandarinen.

Dr. Wilfried Setzler

Es gibt aber immer noch der Brauch[5], daß der Nikolaus kommt, das heißt, Personen, Menschen verkleiden sich als Bischof mit Mütze, Stab, Bart, meistens noch 'ne Maske auf, oder schminken sich und kommen, oder werden bestellt von den Eltern, und bringen den Kindern Geschenke. Es ist ein – der Nikolaustag ist vor allen Dingen ein Kindertag. Es ist ganz und gar auf die Kinder ausgerichtet, in der Regel dann, abends, wenn's dunkel wird, wird geklopft. Früher hat man den Kindern da sehr viel Angst gemacht, da kam der Nikolaus mit einem Begleiter, und die haben gesagt „Warst du auch artig, oder warst du böse?" Die haben ein Buch gehabt und haben gesagt „Ich schaue nach, was du in diesem Jahr alles für böse Taten vollbracht hast, und du wirst bestraft!" und der hatte eine Rute und dann am Schluß bekam man aber doch Geschenke.

Thomas Walter, Leipzig

Also, Weihnachten ist für mich ganz persönlich das Fest der Familie. Also, es war mir früher schon wichtig, in den Weihnachtsfeiertagen mit der Familie zu feiern, früher, äh, zu Hause, bei meiner Frau, äh, bei meiner Mutter, mit meiner Schwester zusammen und heutzutage mit meinem Sohn, meiner Tochter und meiner Frau, das ist meistens der Weihnachtsabend; wir essen in Ruhe zu Mittag, danach gehen wir 'raus, ein, zwei Stunden spazieren. Am Nachmittag wird der Baum angeputzt, dann, äh, werden alle aus dem Zimmer geschickt. Ich mache die Geschenke für die Kinder zurecht, die

Kinder kommen herein, und es ist erstmal Bescherung.

Georg Rübling, Leipzig

Früher war Weihnachten, äh, ein Fest der Familie, haben wir immer gesagt, ein Fest des Friedens, und das ist es auch heute noch; nur durch meinen Beruf arbeite ich seit der Wende an den Feiertagen und nehme mir dann im Januar einige Tage Zeit für die Familie.

Renate Kollberg, Leipzig

Ja, früher haben wir es immer so gemacht, als die Kinder noch klein waren, daß die Geschenke vorher ausgepackt wurden, weil man, weil die sonst nicht ruhig am Tisch sitzen konnten, aber jetzt machen wir das so, daß wir vorher essen und dann nachher am Abend dann die Geschenke ausgepackt werden.

Rudolf Dobler, Tübingen

Grad' Geburtstage werden bei uns in der Familie immer sehr groß gefeiert, net? Also, hat meine Frau oder hab' ich Geburtstag, dann kommen natürlich auch die Neffen usw. Aber das hat schon mein Vater so gehalten. Da war die ganze Familie: Einschließlich Kinder, Enkel und Urenkel waren da dabei. Und, äh, mein Vater hat dann immer gesagt, jetzt war's mal wieder schön. Jetzt waren mal wieder alle beieinander. Und es ist eigentlich immer noch so, gell?

Alice Kurz, Tübingen

Ich hab' im Sommer Geburtstag, und das ist immer sehr nett. Dann machen wir ein Grillfest irgendwo im Wald, wo's eine, ähm, Feuerstelle gibt. Dann bringt jeder was mit, Fleisch zum Beispiel. Ich mache Salate und Brot und kaufe

---

[5] Dr. Setzler should have said *den Brauch*.

Getränke. Das ist dann immer sehr nett, und, ähm, vielleicht backe ich noch einen Kuchen, Geburtstagskuchen.

Walter Utz, Tübingen

Also, wenn's 'ne größere Feier ist, versuchen wir im Freundeskreis zusammenzukommen. Und das ist immer sehr nett. Man erinnert sich der alten Zeit, denn ich – es gibt einen Spruch, der heißt: „Die Erinnerung ist das Paradies, aus dem man nicht vertrieben wird." Genau das, die Erinnerungen, weil man ja älter wird, dann denkt man an das, was schön war und freut sich darüber und schöpft auch die Kraft vielleicht für den Alltag, der manchmal mißlich ist. Und darüber freut man sich. Und mit diesem Freundeskreis zusammen etwas zu tun, ist etwas herrliches. Und vielleicht darf ich hinzufügen, daß grad', wenn man gute Freunde hat, das Leben doch mal leichter wird.

Thema 6 Ernährung und Fitness 14:04–28:54

Teil I 14:04–18:54

Reinhold Gaum, Gast, Gasthaus Rebstock

Also bei mir is' so: Ich koch' sehr gern und sehr gut, und ich ess' sehr gern und sehr gut. Also, ich bin berüchtigt für meinen guten Appetit und Leute, die mich näher kennen, da bin ich berüchtigt für mein gutes Essen. Also, ich bin ein ambitionierter Hobbykoch. Ich mach' die Spätzle selber.

Renate Baumeister

Ja, mir schmeckt eigentlich am allerliebsten die französische Küche, aber das machen wir natürlich im Alltag nicht, sondern wenn wir Freunde einladen am Abend, daß wir mit mehreren Gängen essen. Im Alltag ess' ich natürlich auch gern Schwäbisches, was wir hier in der Gegend essen, das sind zum Beispiel Maultaschen, nennen wir das. Dann essen wir auch gern Kartoffelsalat, Würstchen mit Kartoffelsalat, ja, aber wir essen eigentlich nicht soviel Fleisch. Wir versuchen also, mit wenig Fleisch auszukommen, und auch vor allen Dingen gesunde Lebensmittel einzukaufen.

Reinhold Gaum

Bei mir is' das Problem, ich ess' sehr gern Fleisch. Ich ess' sehr viel Fleisch. Deshalb auch das Pendant zu den Kässpätzle. Also Kässpätzle is' ja absolut fleischlos. Und das is' mit Absicht. Äh ich guck' halt danach, daß ich öfters mal fleischlos koch', aber bei mir is', sagen wir mal so, so 'n Riesenbrummersteak is' halt bei mir schon bisserl meine Leidenschaft, muß ich ehrlich sagen. Ich bemüh' mich dann immer auch, recht viel Gemüse dazu, recht viel Salat. Also Salat gibt's bei mir immer, wenn ich koch', grundsätzlich, aber das Fleisch is' halt bei mir ein bisserl meine Sünde.

Günter Leypoldt

Ess' ich gesund? Ja, ich ess' in der Mensa und per Definition ist das Essen dort nicht so gesund. Aber ich glaub', daß ich sowieso nicht ein Typ bin, der unheimlich auf gesundes Essen achtet und in Ökohäusern einkauft und so. So eher nicht. Ich versuch' eher, nicht so viel zu essen.

Renate Baumeister

Ja, sag ich's mal lieber so, ich denke, ich hab' drei Kinder, und das verlangt natürlich von mir auch, daß ich in gewisser Form fit bleibe, da ich nämlich noch nebenher, neben Mutter und Hausfrau, auch noch berufstätig bin, und mein Alltag eigentlich, würd' ich mal sagen, stressig ist, und von daher brauch' ich diesen Sport zum Ausgleich, einfach.

Johanna Schmidt, Fremdenführerin, Leipzig

Ich treibe ganz aktiv Sport. Ich gehe jede Woche schwimmen eine Stunde. Ich fahre sehr viel Rad, und in der schlechten Jahreszeit jetzt laufe ich jeden Tag mindestens eine Stunde.

Alice Kurz

Ähm, ich habe jetzt wieder nach acht Monaten angefangen, Sport zu machen. Und letzte Woche war das erste Mal und ich fühl' mich absolut – ich habe wirklich Muskelkater. Und gestern war ich auch wieder und jetzt ist der Muskelkater einigermaßen vorbei, aber ich versuche schon, zumindest einmal in der Woche irgendwelchen Sport zu machen, denn man sitzt schon sehr viel in der Bibliothek. Und, ähm, da krieg ich auch manchmal Kreuzschmerzen. Deshalb, äh, denke ich, daß es keine schlechte Idee ist, hin und wieder was zu machen. Aber sonst, also außer diesem „Unifitness", wie es heißt, mach' ich keinen Sport mehr.

Katrin Hart, Kabarettistin Leipzig

Also, ich habe schon gesagt: Gesundheit ist für mich 'n ganz wichtiger Punkt, weil, wenn man sich nicht so richtig wohlfühlt, dann kann man auch nichts machen, dann hat man keine Ausstrahlung auf andere, äh, dann kann man auch anderen nicht helfen, wenn man immer so in sich ist. Und, äh, ich mache, also, irgendwie, äh, seelisch etwas dafür, daß ich die, daß ich nicht so sehr mich in mich versenke. Also, ich beschäftige mich jetzt doch mit asiatischen, äh, Möglichkeiten der Stabilisierung und auch der Kontinuität, weil ich sehe, daß man dort Erfahrungen gesammelt hat, die wir hier in Europa einfach nicht zum Tragen bringen lassen, über so viele Jahrhunderte schon nicht. Also, Yoga ist doch ein sehr wichtiges, äh, konzentratives, äh, Element, was einem also Lebenskräfte wiedergibt, die man nicht vermutet, so wiederzubekommen.

Professor Wolfgang Rotzsch

Gesund zu bleiben und gesund zu sein, ist eine wunderschöne, notwendige Aufgabe und dazu kann man auch etwas tun. Es geht also um das Gesundheitsbewußtsein der Menschen, das nach der Wende auch sich gewaltig entwickelt hat. Wenn wir solche Themen ansprechen, finden wir immer offene Ohren, und die Leipziger bemühen sich sehr, sich nach den Hinweisen zu halten. An unserem Institut steht auch das Schild seit sechs Jahren schon „Cholesterin-Screening", das heißt also, daß wir auch auf diese Dinge sehr achten und prophylaktisch die Herz- und Kreislauferkrankungen versuchen zu beeinflussen.

Teil 2 18:55–24:00

Margot Frenken

Im Rebstock is' halt das so: Es verkehrt ein ganz gemischtes Publikum. Studenten, Professoren, aber auch Arbeiter. Es kommet[6] abends nach Feierabend welche rei' in der Arbeitskleidung, also blaue Overall. Äh, die setzen sich aber auch oft neben den Professor. Da sitzt der Professor und da sitzt der Arbeiter.

Das isch hier a Kneipe praktisch, wo sich jeder, wo man sich trifft. Wo die Neuigkeiten dann aus'tauscht werden. Und es isch eigentlich eine uralte Gaststätte schon. Und da darf man auch an die Stühle oder so nichts verändern. Ich bin jetzt zwei, erst zwei Jahr' da, muß ich sage. Ich bin also noch nit allzu lange im Rebstock, aber fühl mich sehr wohl hier.

Spätzle. Ach ja, Gott, bei einem Schwob gehört zu jedem Gericht, da gehören da Spätzle dazu. So und das wird jetzt geschlagen, bis der Teig Blasen wirft. So, so muß der ungefähr jetzt aussehen, so immer, daß er so Blasen wirft. Dann ist der Spätzlesteig gut.

Die Spätzle werden dann in Wasser so lang gekocht, bis sie an die Oberfläche kommen.

Margot Frenken

So, jetzt isch gut.

Jeden Morgen in aller Frühe wird eine große Menge Spätzle vorbereitet, die nach Bedarf aufgewärmt wird.

Margot Frenken

Für mich personlich könnt's jeden Tag nur Spätzle mit Soß' gebe – sonst nix.

Dr. Wilfried Setzler

Das schwäbische Essen ist ja ein Essen, das auf frühere Gesellschaftsformen und frühere Lebensformen auch zurückgeht. Das ist bei allen traditionellen Essen so. Früher mußten die Menschen viel körperlich und hart arbeiten, deswegen haben sie viele Kalorien gebraucht, die Arbeiten[7] waren fett, fettreich, kalorienreich. Die mußten habhaft sein, wie man hier sagt.

Man kann sich in Tübingen auch gesund ernähren. Wie in vielen deutschen Städten gibt es auch hier ein Reformhaus.

Verkäuferin

Diätkaffee ohne Koffein oder mit Koffein?

Petra Asmus, Verkäuferin, Tübingen

Also, das sind aus vielen Bevölkerungsschichten, auch aus, ja, Leute, die nicht so viel Geld haben, Leute, die mehr Geld haben. Hier in Tübingen ist es vor allem auch, daß Studenten hereinkommen und kaufen. Das kann man so nicht festmachen. Also, manche ernähren sich fast ausschließlich aus dem Reformhaus, teilweise kommen sie nur 'rein und kaufen dann 'nen Joghurt oder 'nen Suppenwürfel und nehmen das dann als Ergänzung für eine normale Kost, die sie im Supermarkt auch kaufen.

---

6 Frau Frenken uses Swabian dialect, and thus her use of grammar is not standard German. Here, for example, she uses the Swabian *kommet*, instead of *kommen*.

7 Dr. Setzler really wants to say: „*die Mahlzeiten waren fett …*"

Petra Asmus

Kommt noch was dazu?

Eberhard Allmendinger, Kunde, Tübingen

Nee, ich, äh, ich hätte noch eine Frage, äh was, was haben Sie denn noch für ein Müsli da ohne Rosinen?

Petra Asmus

Ohne Rosinen?

Eberhard Allmendinger

Ja, da sind Rosinen drin.

Petra Asmus

Darf's gezuckert sein oder ohne Zucker?

Eberhard Allmendinger

Ja, ohne Zucker, natürlich.

Eberhard Allmendinger

Ich habe mir hier ein Müsli gekauft heute. Ich komme eigentlich schon immer ins Reformhaus. Ich ernähr' mich gesund, obwohl ich ein bisserl ein korpulenter Mensch bin. Äh, dicke Leute essen nicht immer viel, und deshalb esse ich morgens gerne wegen der Ballaststoffe ein Müsli.

Petra Asmus

Kräuterbonbons oder Salbei?

Kundin

Salbei gibt's auch zuckerfrei, ja? Dann nehme ich Salbei.

Teil 3 24:01–28:54

Es ist halb eins in Leipzig: Zeit für das Mittagessen. Bratwürste, die man fast an jeder Straßenecke kaufen kann, sind für die, die es eilig haben, eine schnelle und billige Lösung.

Aber man kann auch im Stehcafé einen Teller Nudeln zu sich nehmen. Wer die Mittagspause versäumt hat, kann später eine Tasse Kaffee trinken und ein Stück Kuchen essen. Die große Auswahl von Brot, Gebäck und Kuchen macht die Konditorei wahrscheinlich zum beliebtesten Geschäft überhaupt – für jung und alt.

Die bekannteste und älteste Gaststätte in Leipzig ist der Auerbachs Keller.

Johann Wolfgang Goethe hat den Auerbachs Keller durch sein Meisterwerk Faust *weltbekannt gemacht.*

Kurt Hensch, Küchenchef, Auerbachs Keller, Leipzig

Dazu muß ich sagen, daß ich, daß ich persönlich in diesem Haus seit 25 Jahren arbeite. Ich bin – habe voriges Jahr ein Dienstjubiläum gefeiert, 25 Jahre Auerbachs Keller. Daß heißt, ich habe also alle Höhen und alle Tiefen im Auerbachs Keller miterlebt. Wir sind eine ziemlich große Küchenbrigade. Es ist klar – ja, äh, die Geschichte oder die Legende des Auerbachs Kellers ist in Goethe begründet, in dem *Faust*. Das ist das, was uns eigentlich auch immer wieder sehr viele Gäste beschert. Die Touristen kommen …

Also, Leipziger Allerlei ist ein Gericht, ein selbständiges Gericht aus dieser Region, hat seinen Ursprung in der Landschaft, die hier früher mal also gemüsereich war, fischreich war. Und man verkauft ein Leipziger Allerlei mit Beginn der Saison, wenn es ein frisches Gemüse im Handel gibt.

Also, wir würden Ihnen jetzt einen Teil der Gemüse, einen Teil der Gemüse für das Allerlei mal vorstellen. Da hätten wir zum Beispiel ein geschnittenes, geschnittene Möhren, in dieser Form, einen Blumenkohl. Dann haben wir hier Morcheln, die es früher auch mal bei uns in dieser Region gab. Dann nachher hätten wir hierzu den Krebs, die Krebsnase, den Krebsschwanz. Und dann nachher hier einige Zuckererbsenschoten. Und wir würden dann nachher dieses Gemüse praktisch anrichten.

Bewegung muß sein, um gesund und fit zu bleiben. Deshalb wird diese Step-Fit-Klasse auch von der Krankenkasse bezahlt, ist also kostenlos für die Teilnehmerinnen und Teilnehmer.

Dietmar Käntzl, Trainer

Sagen wir, die Leute, die schon länger im, also die Kurse besuchen, die wollen neben dem Fitbleiben durchaus auch noch gut aussehen. Wer jetzt zum Beispiel einsteigt, der denkt auch erst mal daran, ein bißchen seine Gesundheit zu verbessern, also Herz/Kreislauf, äh, den Herz/Kreislauf anzuregen, zu verbessern, also Pulsfrequenz 'runterzusetzen, dann eben auch ein bißchen gegen den, sozusagen, den Speck anzukämpfen. Das kann man natürlich auch in so 'ner Kursstunde sehr gut.

Wer den Rest des Fitnesscenters benutzen will, muß Mitglied sein, aber auch zum Schwitzen bereit sein. Das Ausdauer- und Konditionstraining an

den Geräten ist effektiv, aber anstrengend.

Manuela Voigt, Trainerin

Ja, es gibt eigentlich zwei Motivationen. Ich meine, ich bin ja jetzt schon über 30, also als Frau einerseits das Aussehen, und andererseits ist es halt das physische und psychische Wohlbefinden. Also, ich mache schon seit ich sechs Jahre bin Sport – und es gehört mit zu meinem Leben.